LES GRANDS COMPOSITEURS

MOZART

LES GRANDS COMPOSITEURS

MOZART

Texte original de Ian McLean
Adaptation française de Claude Dovaz

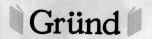

Gründ

Adaptation française de Claude Dovaz

Texte original : Ian McLean

Première édition française 1990 par Librairie Gründ, Paris
© 1990 Librairie Gründ pour l'adaptation française
ISBN : 2-7000-5500-4
Dépôt légal : Avril 1990
Édition originale 1990 par The Hamlyn Publishing Group Ltd, département de The Octopus Publishing Group
sous le titre original **Mozart**
© 1990 The Hamlyn Publishing Group Ltd

Photocomposition : P.F.C., Dole
Imprimé par Mandarin Offset, Hong Kong

SOMMAIRE

L'ENFANCE

Bien qu'elle ne fût pas malheureuse, l'enfance de Mozart
fut entièrement dominée par Léopold qui s'acharna
à exhiber l'extraordinaire talent précoce de son fils.

Au milieu du XVIIIᵉ siècle, les compositeurs et les musiciens étaient à peine mieux considérés que les domestiques. Leurs maîtres exigeaient qu'ils fournissent, à la demande, des œuvres pour des fêtes ou des visiteurs de marque. À cette époque, les concerts étaient presque exclusivement le privilège des cours princières, de l'Église et des maisons nobles : il n'y avait pour ainsi dire pas de concerts publics. Même quand un musicien avait la chance de trouver un emploi, ses gages étaient en général si modiques qu'il était contraint, pour survivre, de composer ou d'enseigner pour son propre compte. Souvent, la seule manière de réussir était de trouver un maître ou un mécène, si désireux de briller par l'excellence de ses musiciens qu'il ne regardait pas à la dépense.

Le XVIIIᵉ siècle fut l'âge d'or des extravagances culturelles – les cours rivalisaient de magnificence. Le « Roi-Soleil » et ses successeurs, à la cour de Versailles, en sont un des exemples les plus éclatants. Bien que l'Italie maintînt sa suprématie musicale, la cour impériale, à Vienne, était un centre culturel important et l'orchestre de la minuscule cour de Mannheim était un des plus brillants. Le jeune Mozart fut profondément influencé par de nombreuses symphonies en quatre mouvements qui y furent composées. À cette époque aussi, l'aristocratie et la bourgeoisie fortunées faisaient étalage de leur richesse et de leur puissance, notamment en protégeant les arts. Sans elles, de nombreux chefs-d'œuvre de la musique n'auraient jamais été exécutés. On composait alors beaucoup de musique pour de petits ensembles qui ne comptaient souvent pas plus d'une douzaine de musiciens (l'orchestre symphonique tel que nous connaissons, avec plusieurs dizaines d'exécutants, n'a commencé à exister qu'au début du XIXᵉ siècle).

L'Église employait aussi beaucoup de musiciens et de nombreux compositeurs, dont le plus illustre est Jean-Sébastien Bach, passaient leur vie entière à son service. Bach fut le Cantor de l'église Saint-Thomas, à Leipzig, pendant les vingt-sept dernières années de sa vie, et il y composa surtout de la musique religieuse, par exemple des messes et des cantates. Certains compositeurs, bien qu'au service de l'Église, honoraient des commandes de musique profane.

Musicalement parlant, le XVIIIᵉ siècle fut une époque de profonds changements. L'époque baroque, qui avait duré environ un siècle, s'achevait quand J.-S. Bach disparut, en 1750, et de nouvelles formes d'expression voyaient le jour. La naissance, en 1756, de Wolfgang Amadeus Mozart, le plus génial des enfants prodiges, coïncida avec le début de la période classique. Dans le domaine de la musique, « classique » se réfère à une forme ordonnée, sans excès d'épanchements émo-

Page précédente :
Les Mozart à Paris.
Nannerl chante,
accompagnée par son
père, au violon, et
Wolfgang, au clavecin.
Peinture de
Carmontelle, 1763.

Ci-dessus : Mozart
enfant, assis à
l'épinette.

tionnels, et s'applique en général aux œuvres composées avant 1820 environ. Vint ensuite la période romantique, qui commença avec des compositeurs comme Chopin et Schumann et dura jusqu'au XXᵉ siècle.

LES ORIGINES FAMILIALES

L éopold Mozart, père de Wolfgang Amadeus Mozart, naquit en 1719 à Augsbourg, en Bavière. En 1737, il se rendit à Salzbourg pour y poursuivre ses études. Après avoir quitté l'université, où il étudiait la philosophie et le droit, il entra comme valet de chambre et violoniste au service du comte de Tour et Taxis auquel il dédia sa première œuvre, 6 sonates d'église et de chambre en trio. Léopold était le premier musicien de la famille : son père était maître relieur et ses proches parents architectes ou entrepreneurs.

En 1743, quand le poste de quatrième violon de la chapelle du prince-archevêque Sigismond von Schrattenbach devint vacant, il posa sa candidature et eut la chance d'être engagé. Il poursuivit une belle carrière de musicien – devenant successivement deuxième violon, compositeur de la Cour et de la Chambre, puis deuxième maître de chapelle – jusqu'au moment où, ayant reconnu le génie de son fils, il lui consacra le meilleur de son temps. On tient aujourd'hui,

avec raison, Léopold Mozart pour un compositeur mineur, mais il jouissait de son vivant d'une réputation enviable de professeur, qui lui survécut surtout grâce à son *Essai d'une école approfondie du violon* publié en 1756 à Augsbourg – année de la naissance de Wolfgang. Cet ouvrage fut réédité plusieurs fois et traduite en néerlandais et, en 1770, en français.

En 1747, Léopold Mozart épousa Anna-Maria Pertl, fille de Wolfgang Nicolaus Pertl (ou Bertel), curateur (juge) au tribunal de l'archevêque de Salzbourg à Hüllenstein, mort quelque vingt ans auparavant. Elle était loin d'être aussi intelligente que lui, mais elle était fort jolie et le couple Mozart passait en leur temps pour un des plus beaux de Salzbourg. Anna, enjouée et facile à vivre,

Ci-contre : Portrait de l'archevêque Sigismond von Schrattenbach, prince-évêque de Salzbourg (1698-1771), par Franz Xavier König. Sa compréhension permit à Léopold Mozart, employé à sa cour, de s'absenter longuement pour exhiber le talent précoce du jeune Wolfgang.

Ci-contre : Vue générale de Salzbourg en 1795 d'après un tableau de Franz von Naumann. Salzbourg a figuré sur la carte musicale de l'Europe depuis le milieu du XVIIIe siècle.

fut une compagne presque idéale pour Léopold, homme austère et autoritaire, respectueux des convenances, mais non dénué d'humour, qui allait se montrer par la suite habile et calculateur pour mettre en valeur le talent précoce de ses deux enfants. On l'a calomnié en affirmant qu'il les avait exploités, car il a toujours été besogneux et il est mort pauvre.

Après leur mariage, Léopold et Anna-Maria Mozart s'installèrent dans un logement au troisième étage d'une vieille maison bourgeoise dominant une place ornée d'une fontaine, appartenant à un commerçant, Johann Lorenz Hagenauer, au 225 (aujourd'hui 9) de la Getreidegasse, dans le vieux Salzbourg. Ils allaient y demeurer vingt-cinq ans. Cette maison est maintenant un musée où ont été réunis toutes sortes de souvenirs dont le piano de Mozart, des partitions, de nombreux bibelots et même une mèche de ses cheveux.

Le couple paraît avoir été uni et heureux, malgré des difficultés matérielles considérables et des tragédies personnelles. L'argent manquait toujours – les dernières années de

sa vie, Léopold eut à peine de quoi subsister. Malheureusement, partitions et concerts étaient souvent payés en bonnes paroles et en nature plutôt qu'en espèces.

Au XVIIIe siècle, l'hygiène était déplorable et la mortalité infantile élevée. Des sept enfants de Léopold et Anna-Maria Mozart, deux seulement ne moururent pas en bas âge. Le premier fut une fille, Maria Anna, née en 1751. Surnommée Nannerl, elle hérita du talent de son père et fut un petit prodige, mais ne fut pas aussi douée que le sera son frère cadet.

Joannes Chrysostomus Wolfgangus Theophilus, septième et dernier enfant du couple, naquit le 27 janvier 1756 à huit heures du soir et fut baptisé le lendemain à la cathédrale de Salzbourg. Léopold et Anna-Maria étaient rongés d'inquiétude car ils craignaient que leur fils, nourrisson fragile, ne réussît pas à survivre.

Léopold commença à enseigner la musique à ses enfants dès qu'ils surent marcher et parler. En donnant des leçons à Nannerl, Léopold s'aperçut que son fils réagissait de

Ci-contre : Portrait anonyme (1765) de Léopold Mozart dont le visage est empreint de sévérité.

Ci-dessus : Mozart naquit dans cet appartement sis au troisième étage du n° 9 de la Getreidegasse, dans le vieux Salzbourg. La maison est devenue un musée, le Mozarteum, où ont été rassemblés de nombreux souvenirs.

Ci-contre : Anna-Maria Mozart, la mère de Wolfgang, que toute sa famille adorait. Ce portrait, peint en même temps que celui de son mari, fait ressortir la bonté et le caractère amène du sujet.

Ci-contre : *Wolfgang à quatre ans. Son père commença à lui donner des leçons de clavecin alors même qu'il fallait le surélever avec des coussins pour lui permettre d'atteindre les touches.*

façon très vive aux sons, musicaux ou autres, et manifestait pour la musique un intérêt extraordinaire. On raconte que l'on trouvait souvent le petit garçon assis sous le clavecin, émerveillé par l'univers sonore dans lequel il baignait. Il n'avait que quatre ans quand son père entreprit de lui enseigner, à son tour, la musique. Quelques mois plus tard, Wolfgang se mettait spontanément au clavecin pour composer de petites pièces.

Léopold, ravi des dispositions musicales de son jeune fils, aurait voulu que son ami Andreas Schachtner, trompettiste de la cour, qui jouait aussi du violon, partageât son enthousiasme. À son grand déplaisir, il constata que Schachtner n'était nullement impressionné et qu'il préférait discuter avec lui de l'indignation provoquée par ses critiques acerbes de la musique qui se faisait à la cour.

À cette époque, le style italien était à la mode, non seulement à Salzbourg, mais encore dans toute l'Europe. Les courtisans se jalousaient et étaient déchirés par des luttes d'influence. Des questions directes n'étaient jamais posées en public et les demandes de faveurs étaient transmises, quand elles l'étaient, par le canal de la hiérarchie. Léopold, qui s'était toujours senti supérieur aux musiciens italiens, trouvait difficile de dissimuler son opinion, surtout quand il voyait une occasion de renforcer sa propre position.

C'est à peu près au moment où son fils commençait à composer au clavecin que Léopold caressa l'espoir d'obtenir la position de maître de chapelle, le titulaire, Ernst Eberlin, étant malade.

Toujours désireux de convaincre son ami Schachtner du talent musical de son fils, il l'invita à venir entendre jouer l'enfant. Il espérait que cette visite augmenterait ses chances de devenir maître de chapelle.

Le jour dit, toute la famille Mozart avait mis ses habits de gala. Pour la première fois, Wolfgang portait un haut-de-chausses avec des bas et des chaussures à boucles et on avait ondulé ses longs cheveux au fer. Le résultat extravagant, encore souligné par la petite taille de l'enfant, correspondait à la mode régnante. Assis au clavecin, le petit bonhomme prouva son indéniable talent musical et même Schachtner, le sceptique, fut impressionné. Peu après, Wolfgang donna son premier concert public à l'université de Salzbourg. Léopold avait montré de la diplomatie en incluant un duo d'Eberlin dans le répertoire de son fils.

Eberlin mourut en 1762 et le prince-archevêque engagea Francesco Rolli – un Italien – pour le remplacer. Léopold Mozart en conçut une amertume qui dura tout le reste de sa vie et il montra désormais une grande méfiance envers tous les autres musiciens, surtout s'ils étaient italiens. En revanche, il découvrit que sa nouvelle position de vice-maître de chapelle lui laissait une grande liberté, ce qui lui permit de consacrer la plus grande partie de sa vie à l'éducation, à la formation musicale, puis à la carrière de son fils.

PREMIERS SIGNES DE GÉNIE

B ien qu'il fût frêle et maladif, Wolfgang semble avoir eu une enfance heureuse. La musique était au centre de son univers, mais il excellait aussi dans d'autres disciplines comme les langues, notamment l'italien, et l'arithmétique. Un jour qu'il était en voyage à Rome avec son père, il ajouta un post-scriptum à une lettre de Léopold pour demander à Nannerl de retrouver et de lui envoyer la table de multiplication qu'il avait complètement oubliée. On a aussi raconté qu'il griffonnait des calculs dans les marges de ses partitions. Il semble bien que ni Nannerl ni Wolfgang ne soient jamais allés à l'école avec d'autres enfants et que Léopold a assumé seul la responsabilité de leur éducation.

Quand Léopold prit conscience des dispositions innées de son fils pour la musique, il établit un plan d'études rigide et systématique qu'il mit en œuvre implacablement jour après jour. Heureusement, Wolfgang avait hérité de son père, en ce qui concerne la musique, des qualités de concentration presque obsessionnelle et d'ardeur au travail qu'il

conserva jusqu'à sa mort. Quand une maladie du petit garçon obligeait Léopold à interrompre son programme de formation, il dissimulait mal son impatience à reprendre son enseignement. De fait, il exerçait sur son fils une emprise telle que celui-ci fut rarement hors de sa vue pendant les vingt années suivantes. On ignore ce que la mère de Wolfgang ressentait devant cette domination paternelle et la discipline rigoureuse à laquelle était soumise son fils. Elle était peut-être d'accord avec son mari ou alors elle acceptait la situation bon gré mal gré. Quant à Nannerl, elle souffrait certainement de l'attention presque exclusive dont bénéficiait son frère cadet.

Quand Wolfgang eut six ans, Léopold Mozart décida qu'il était temps de faire connaître au monde le talent de ses enfants et particulièrement la virtuosité de Wolfgang au clavier. Une telle décision avait dû être mûrement réfléchie car au XVIIIe siècle, les voyages n'étaient pas sans danger et entraînaient une fatigue considérable. A vrai dire, que la famille Mozart les aient supportés sans autre conséquence qu'une maladie de temps à autre, tient du miracle. Mozart allait passer la plus grande partie de sa courte vie à voyager à travers l'Europe, d'abord comme enfant prodige et ensuite à la recherche d'une position qui lui aurait apporté la sécurité financière, mais qu'il ne réussit jamais à obtenir. Au début de 1762, Léopold passa trois semaines à Munich avec Nannerl et Wolfgang. Les deux enfants se produisirent à la cour de Maximilien Joseph III, l'électeur de Bavière.

Ci-contre : Le château de Nymphenburg, à Munich, résidence de Maximilien Joseph III, électeur de Bavière. Léopold Mozart y exhiba ses enfants au début du 1762.

PREMIERS RÉCITALS À VIENNE

E ncouragé par ce premier essai, Léopold décida d'entreprendre un deuxième voyage, plus ambitieux, qui le conduirait à Vienne. En septembre 1762, la famille Mozart au complet quitta Salzbourg pour Vienne, via Passau et Linz, avec de nombreux bagages, dont un clavecin transportable. La raison du long détour par Passau, assez loin au nord, était une lettre de recommandation du comte Arco – celui-là même

qui expulsera sans façon Wolfgang de la cour – au comte Thun-Hohenstein. Celui-ci, pour autant qu'il fût bien disposé, pouvait fournir à son tour les recommandations dont les Mozart auraient besoin à Vienne. Passau était donc un élément essentiel du plan de Léopold. Vienne était alors un haut lieu de la culture et rivalisait avec Londres et Paris comme capitale musicale du monde. C'est là, au palais de Schönbrunn, que résidaient l'impératrice Marie-Thérèse et l'empereur François 1er. Ils cultivaient la musique comme une véritable passion.

Malgré la recommandation du comte Arco,

Ci-contre : *Vienne était déjà une des capitales musicales d'Europe quand la famille Mozart y arriva à la fin de 1762. Léopold était convaincu que son fils prodige allait y faire fortune.*

les Mozart durent attendre trois longs jours avant d'être admis en présence du comte Thun-Hohenstein, quoique celui-ci fût très curieux d'entendre Wolfgang : ainsi l'exigeait le protocole. Le petit garçon éprouva d'emblée de l'antipathie pour ce gros homme arrogant ; bien qu'il n'eût que six ans, il détestait jouer pour quelqu'un, aussi important soit-il, s'il ne sentait pas qu'il aimait vraiment la musique (c'est un trait de caractère qu'il partageait avec Léopold). Mais, pour ne pas déplaire à son père qu'il vénérait – « après le bon Dieu vient papa » a-t-il écrit –, Wolfgang se surpassa. Léopold reçut

pour sa peine un florin et, surtout, les recommandations indispensables pour la réussite du séjour à Vienne.

Leur logis, dans l'auberge viennoise, était si sombre et exigu que les enfants ne purent y jouer du clavecin. Quand, finalement, le comte Collalto exprima le désir d'entendre les deux enfants, Léopold se rongeait d'inquiétude à l'idée qu'ils avaient tout oublié. Le bruit courait à Vienne que les petits Mozart jouaient aussi bien que des adultes et toute la noblesse était curieuse de s'assurer que c'était bien vrai. Léopold ne doutait point de leur talent exceptionnel, mais il savait que, dans ce monde précieux, la moindre imperfection de leur jeu mettrait fin à ses espoirs. Il n'aurait pas dû s'inquiéter : les enfants jouèrent très bien et ce seul concert leur ouvrit toutes les portes. Quelques jours plus tard, l'impératrice Marie-Thérèse les pria à Schönbrunn.

Pour cette occasion, on déguisa Wolfgang en courtisan miniature. Rien ne manquait, ni la perruque poudrée ni l'épée ornée de bijoux

– même sans son talent précoce et sa réputation, il n'aurait pas manqué de susciter l'étonnement. Quand les enfants Mozart arrivèrent à la cour impériale, personne ne voulut croire que les histoires sur leur habileté musicale pouvaient être vraies. Heureusement, ils n'avaient pas conscience de l'importance de l'événement et, sans se laisser intimider par le cadre et l'assistance, l'un et l'autre jouèrent parfaitement bien. On ra-

Ci-contre :
Présentation du jeune Wolfgang au futur empereur Joseph II et à sa mère, l'impératrice Marie-Thérèse, pendant le premier séjour de la famille Mozart, en 1762.

conte que pour le mettre à l'épreuve, on fit aussi jouer Wolfgang les doigts recouverts du mouchoir brodé de l'empereur qui lui dissimulait le clavier.

Quelques jours plus tard, Léopold reçut cent ducats, des habits de cour pour les enfants et une invitation à revenir à Schönbrunn le lendemain avec Nannerl et Wolfgang afin que ceux-ci jouent pour les enfants de l'impératrice. L'orgueil de Léopold fut flatté par les cadeaux, mais Anna-Maria se rendit compte que les vêtements avaient déjà été portés. Quoi qu'il en soit, Nannerl comme Wolfgang portèrent les vêtements impériaux quand ils posèrent pour les tableaux qui sont suspendus aujourd'hui aux murs du musée Mozart, à Salzbourg.

Après s'être produit pour la seconde fois à Schönbrunn, Wolfgang eut le malheur de tomber sur le parquet glissant. La petite fille

qui, le prenant en pitié, l'aida à se relever n'était autre que Marie-Antoinette, la future reine de France.

Naturellement, après celles du château impérial, les portes de tous les salons de Vienne s'ouvrirent et les deux enfants donnèrent plusieurs concerts chaque jour, passant d'une maison noble à une autre. Inévitablement, le petit garçon tomba malade. Comme il ne cessait de s'affaiblir, ses parents terrifiés s'imaginèrent qu'il avait attrapé la petite vérole (variole). En outre, Léopold reçut au même moment une lettre de Salzbourg lui rappelant que son congé était expiré depuis longtemps. Finalement, le médecin diagnostiqua une scarlatine. Wolfgang se rétablit assez vite pour se rendre encore à Presbourg

(Bratislava), où des nobles hongrois désiraient l'entendre, avant de regagner Salzbourg.

Les Mozart étaient de retour chez eux au début de janvier 1763. Quelques semaines plus tard, Wolfgang se produisit à la cour où il joua du clavecin et du violon. L'annonce de ce concert précisait que l'enfant jouerait à la manière d'un adulte, improviserait dans différents styles, jouerait avec le clavier caché et identifierait toute note qu'on lui ferait entendre. L'intérêt suscité par cette publicité ne fit que renforcer l'ambition de Léopold pour son fils, d'autant plus qu'il venait de découvrir que l'enfant avait pour le violon un talent presque aussi exceptionnel que pour le clavecin et le piano. La famille Mozart ne

Ci-contre : Portrait de Mozart, attribué à Pietro Antonio Lorenzoni, exposé au Mozarteum de Salzbourg. L'enfant a revêtu les habits de cour offerts par l'impératrice Marie-Thérèse.

Ci-contre : *Nannerl, la sœur de Wolfgang, âgée de onze ans, reçut aussi des habits de cour. Ce portrait est aussi attribué à Pietro Antonio Lorenzoni.*

resta à Salzbourg que six mois avant d'entreprendre son premier grand voyage, le plus long et le plus célèbre, qui allait durer jusqu'en novembre 1766.

LE PREMIER GRAND VOYAGE, 1763-1766

Afin de permettre à sa famille de voyager dans des conditions moins pénibles, Léopold avait loué une voiture. Les Mozart se rendirent d'abord à Munich et au château de Nymphenburg, résidence de l'électeur de Bavière, puis à Augsbourg, patrie de Léopold, où ils donnèrent plusieurs concerts publics et rencontrèrent des parents. Leurs étapes les plus importantes sur la route de Paris furent Stuttgart ; le château de Schwetzingen, résidence d'été de l'électeur palatin Carl Théodore ; Heidelberg, Mayence, Francfort-sur-le-Main, où Wolfgang fut entendu par le jeune Goethe et son père, Coblence, Cologne, Aix-la-Chapelle et Bruxelles.

Le bruit de l'extraordinaire talent musical de Wolfgang s'était répandu et Léopold avait réussit à se procurer quantité de lettres de recommandation. La famille Mozart fut donc bien reçue presque partout. Le frère et la sœur jouaient aussi en duo, mais les interprétations de Nannerl seule n'éveillaient pas beaucoup d'intérêt. Malgré l'indéniable succès des deux enfants prodiges et le nombre incroyable de fois que Léopold les exhiba, la bourse de la famille ne gonfla pas beaucoup. L'habitude de nombreuses maisons riches était de récompenser les musiciens en nature plutôt qu'en espèces, et bien souvent avec un certain retard. C'est ainsi que les Mozart étaient submergés de bibelots et d'autres objets sans réelle valeur. Une lettre de Léo-

pold à son propriétaire et ami Hagenauer illustre bien la situation dans laquelle il se trouvait : « La princesse Amalia, sœur de Frédéric le Grand de Prusse n'est pas avare de baisers – si seulement ceux qu'elle donne à mes enfants, particulièrement à Wolfgang, étaient des louis d'or, nous serions comblés, mais ni l'aubergiste ni le relais de poste ne se paient avec des baisers ».

Le 18 novembre 1763, la famille Mozart

parvint à Paris où Léopold comptait faire fortune. Ils allaient y passer six mois, mais au début, malgré les recommandations dont ils étaient porteurs, ils ne réussirent pas à se faire admettre dans les salons parisiens. C'est finalement grâce à un compatriote, Melchior Grimm, qu'ils reçurent une invitation à passer les fêtes de Noël à Versailles. La nuit de la Saint-Sylvestre, ils furent admis au grand couvert et Wolfgang, qui avait maintenant huit ans, joua de l'orgue devant Louis XV et toute la cour.

Comme de juste, cette invitation royale leur ouvrit toutes les portes de la noblesse et les enfants donnèrent un grand nombre de concerts privés à Paris. C'est pendant leur séjour que des compositions de Wolfgang furent gravées pour la première fois : « Quatre sonates pour le clavecin qui peuvent se jouer avec l'accompagnement de violon »,

Ci-contre : *Le château de Versailles, résidence de Louis XV. Mozart, âgé de sept ans, y joua devant toute la cour en 1764, le jour de l'an.*

21

K. 6 à 9 (le « K » se réfère au catalogue Köchel des œuvres de Mozart – voir page 82). Après deux concerts publics ayant eu beaucoup de succès, la famille Mozart quitta Paris pour Londres le 10 avril 1764.

L'Angleterre dut leur plaire puisqu'ils y restèrent quinze mois, surtout à Londres et à Chelsea. Wolfgang y composa ses deux premières symphonies, K. 16 et 19. Les deux enfants se produisirent plusieurs fois devant le rois George III et la reine Charlotte, mais Léopold fut déçu du présent de 24 guinées pour chaque concert, bien qu'il lui eût été remis sur-le-champ, car il avait espéré davantage. Pendant leur séjour, et comme résultat direct des rumeurs extravagantes qui circulaient sur les capacités extraordinaires de Wolfgang, celui-ci – il avait alors huit ans – fut soumis à un certain nombre de tests musicaux et un rapport fut rédigé à l'intention de la Royal Society.

C'est à Londres que Wolfgang rencontra le plus jeune fils de J.-S. Bach, Jean-Chrétien. Celui-ci, qui s'était fixé dans la capitale britannique en 1762, après plusieurs années passées en Italie, était un compositeur renommé. Il exerça une grande influence sur la musique de Wolfgang, mais on ne peut prouver qu'il ait jamais donné de leçons au petit garçon.

Après avoir passé quelques jours à la campagne, près de Canterbury, la famille Mozart quitta l'Angleterre pour la Haye le 1er août 1765. Bien que l'archevêque de Salzbourg, qui s'impatientait, eût ordonné à Léopold de rentrer, celui-ci avait cédé d'autant plus facilement aux sollicitations de l'ambassadeur de Hollande qu'il espérait gagner de l'argent à la Haye. Malheureusement Wolfgang, puis lui-même, tombèrent malades à Lille où ils durent séjourner un mois. Le jour même de leur arrivée à La Haye, Nannerl s'alita à son tour et faillit mourir. A peine fut-elle rétablie que son frère, qui avait donné seul un concert le 30 septembre, fut frappé d'une angine qui le cloua au lit encore un mois. Pendant son séjour en Hollande, Wolfgang continua à composer,

Ci-contre : *Portrait de George III, roi de Grande-Bretagne et d'Irlande, par le peintre américain Mather Brown. Pendant le séjour de quinze mois de la famille Mozart à Londres, Wolfgang et Nannerl jouèrent plusieurs fois pour le roi et la reine Charlotte.*

Ci-contre : *Portrait par Gainsborough de Jean-Chrétien Bach (le plus jeune fils de Jean-Sébastien Bach), qui se fixa à Londres en 1762. On croit qu'il eut une influence sur le jeune Mozart.*

Ci-dessous : *La Tamise et l'abbaye de Westminster, par Canaletto (1697-1768).*

notamment une troisième symphonie (K. 22) dans laquelle l'influence de Jean-Chrétien Bach continue à se faire sentir. Au début de 1763, il fêta son dixième anniversaire, donna plusieurs concerts et joua en mars, avec Nannerl, aux fêtes de la majorité de Guillaume V, prince d'Orange. Les enfants donnèrent encore des concerts à Amsterdam, Utrecht et Rotterdam avant que la famille Mozart ne reprenne le chemin de Paris où elle séjourna encore deux mois.

À chaque étape du retour à Salzbourg – Dijon, Lyon, Genève (où ils ne purent être reçus par Voltaire, celui-ci étant malade), Lausanne, Berne, Zurich, Donaueschingen, Munich (où Wolfgang fut de nouveau malade) –, les Mozart s'arrêtèrent quelques jours ou quelques semaines et les enfants se produisirent. La famille Mozart fit enfin sa rentrée à Salzbourg à la fin de novembre 1766.

Bien que les fatigues d'un voyage de près de trois ans et demi eussent été considérables (tous les membres de la famille étaient tombés malades à un moment ou un autre), le grand voyage avait été un véritable triomphe. Il est difficile de ne pas admirer la ténacité et le sens de l'organisation dont Léopold avait fait preuve dans la mise en œuvre de ses plans, mais il paraît évident qu'il était inconscient du surmenage qu'il faisait subir à ses deux enfants.

Peu après leur retour, l'archevêque demanda à Wolfgang de composer la musique du premier acte d'un oratorio, *le Devoir du premier et plus excellent commandement*, celle des deuxième et troisième acte étant confiée à Michel Haydn, directeur musical de la cour, et Anton Aldgasser. On croyait autrefois que cette musique (K. 35) était le fruit de l'épreuve à laquelle Wolfgang avait été soumis, un grand nombre de gens prétendant que Léopold composait lui-même la musique attribuée ensuite à son fils. On sait maintenant que la musique composée en huit jours par Wolfgang, enfermé dans une pièce du palais de l'archevêque, est celle d'une petite cantate funèbre – *Grabmusik* – à deux voix (K. 42). Quoi qu'il en soit, la musique de l'oratorio fut bien reçue et même le comte Arco, chambellan de la cour, fut impressionné qu'elle eût été composée en quinze jours (mais Haydn estimait que cette musique, composée dans le style d'Eberlin, manquait d'originalité).

Quelque neuf mois plus tard, les Mozart reprirent la route. Leur première destination fut Vienne où Léopold espérait un accueil encore plus triomphal, la notoriété de ses enfants s'étant répandue dans toute l'Europe. Mais le destin lui fut contraire : les deux enfants furent atteints de la petite vérole et

le garçon faillit en mourir. Même s'ils n'avaient pas été malades, ils n'auraient été invités nulle part car, l'épidémie se répandant partout à Vienne (l'archiduchesse Marie Josèphe en était morte), les gens restaient cloîtrés chez eux.

Quand Wolfgang fut rétabli, il composa l'opéra bouffe *La Finta semplice* (K. 51), mais en raison d'une cabale – Léopold s'était fait beaucoup d'ennemis à la cour –, il ne

Ci-contre :
*Salzbourg aujourd'hui,
dominée par la
forteresse perchée sur
le Mönchsberg.*

fut jamais représenté à Vienne. La déception de Léopold fut un peu atténuée par la représentation réussie du *Singspiel* (opérette) *Bastien et Bastienne* (K. 50) dans le jardin d'été d'Antoine Messmer, un riche médecin qui l'avait commandée. Bien que pleine des clichés de l'époque, elle est étonnante pour un enfant de douze ans et c'est l'une des rares œuvres de l'enfance de Mozart qui soit encore jouée aujourd'hui.

Pendant ce séjour à Vienne, Wolfgang composa aussi des symphonies, de la musique religieuse dont une messe, de la musique de chambre, un concerto pour trompette (perdu) et ses premiers lieder. En janvier 1769, la famille Mozart rentra à Salzbourg. Neuf mois plus tard, Wolfgang fut nommé maître de chapelle honoraire à la cour.

Ci-dessus :
*L'*Interno del
Teatro Regio *de*
Domenico Oliviero
montre une
représentation
d'un opera seria
typique.

DE L'ENFANCE À LA MATURITÉ

L'itinéraire musical de Mozart se lit comme un récit de voyage — une tournée après l'autre et la recherche incessante d'une situation stable

C'est largement grâce à la bienveillance de l'archevêque de Salzbourg que Léopold put entreprendre le deuxième grand voyage. Cette fois, il ne fut pas question de chipoter sur la durée de son absence : un chambellan l'avait informé, quand il se trouvait encore à Vienne, que l'archevêque consentait très volontiers qu'il restât absent de Salzbourg aussi longtemps qu'il lui plairait, mais qu'il ne toucherait plus son salaire quand il serait absent, tout en conservant son emploi. Pour atténuer la rigueur de cette décision, l'archevêque fit monter, à sa cour, *La Finta semplice*, l'opéra bouffe refusé à Vienne, puis il nomma Wolfgang Maître de concert de la cour. Enfin, il fit don à Léopold de cent vingt ducats pour faciliter son voyage. Pourtant cette somme, ajoutée aux économies de Léopold, ne pouvait suffire au voyage de toute la famille. Il fut donc décidé qu'Anna-Maria et Nannerl resteraient à Salzbourg.

En haut : *Cette peinture, intitulée* Intermezzo, *illustre une scène caractéristique de l'opera buffa.*

Ci-contre : *Mozart à treize ans, à Vérone pendant le premier voyage d'Italie. Peinture attribuée à Saverio dalla Rosa.*

DE L'ENFANCE À LA MATURITÉ

On a souvent accusé Léopold d'avoir exploité ses enfants sans vergogne, pourtant il faut souligner qu'il entreprenait ce voyage sans esprit de lucre : « Nous ne comptons pas y faire fortune, a-t-il précisé, tout ce que nous pouvons espérer, c'est de gagner nos frais de route ». Bien qu'il détestât toujours les musiciens italiens, il reconnaissait l'importance de l'Italie dans la vie musicale. L'opéra y était né un siècle et demi plus tôt ; l'*opera seria* et l'*opera buffa* italiens dominaient les scènes européennes depuis longtemps. Il tenait donc absolument à conduire son fils en Italie pour qu'il y élargisse son esprit. D'autre part, il leur fallait s'y rendre avant que Wolfgang ne soit trop âgé pour être exhibé comme un enfant prodige – il allait sur ses quatorze ans. Le père et le fils quittèrent Salzbourg le 13 décembre 1769.

LES PREMIERS VOYAGES D'ITALIE, 1769-1771

Leur itinéraire aurait pu être celui d'un voyage touristique : Innsbruck, Rovereto, Vérone, Mantoue, Crémone, Milan, Parme, Florence, Rome, Naples, Bologne et Venise. Le temps fut d'abord si inclément que Léopold se demanda s'il avait eu raison d'exposer son fils aux fatigues et aux dangers d'une telle expédition, mais il fut rassuré quand, en descendant vers le sud, le temps s'améliora.

Le père et le fils étaient convenus que Wolfgang se produirait, en privé ou en public, à la plupart des étapes de leur long voyage et qu'il saisirait toutes les occasions d'entendre de la musique italienne. Leur séjour d'une quinzaine à Vérone, où ils arrivèrent le 27 décembre, est exemplaire à cet égard. Léopold écrit à sa femme que la noblesse n'avait pu organiser un concert qu'au bout de sept jours seulement car il y avait un opéra tous les jours. Au cours du concert en question, Wolfgang fit entendre une de ses symphonies ; il a joué, à première vue, un concerto de clavecin et des sonates qu'il ne connaissait pas non plus ; improvisé et chanté un air sur des vers qu'on lui a montrés ; composé et exécuté une fugue sur un sujet imposé ; tenu la partie de violon dans un trio de Boccherini. Un autre jour, il a joué de l'orgue dans une église dans laquelle il a dû pénétrer par le cloître, tellement dense était la foule venue l'écouter. Un riche amateur, Pietro Lugiati, fit faire à ses frais son portrait à l'huile par Cignaroli, un artiste local. À Milan, où ils séjournèrent près de deux mois, Wolfgang fit

À gauche : *Mozart n'aimait pas l'alternance rigide de récitatifs et d'arias de l'opera seria, qui atteignit son apogée à la fin du XVIIIe siècle, mais il continua à en composer sur commande, pour gagner sa vie, jusqu'en 1791. Ici une scène de La Clémence de Titus.*

la connaissance, entre autres, de Sammartini et de Piccinni, le futur rival de Gluck, et reçut la commande d'un opéra qui devait être représenté l'année suivante ; à Parme, les Mozart furent invités par la soprano Lucrezia Aguiari, surnommée La Bastardella ; à Florence, ils retrouvèrent le castrat Manzuoli qu'ils avaient vu pour la dernière fois à Londres.

Le soir même de leur arrivée à Rome, au milieu de la semaine sainte, ils coururent à Saint-Pierre pour entendre le *Miserere* de Gregorio Allegri, dont il était défendu aux interprètes de montrer ou de copier la partition sous peine d'excommunication. À cette occasion, Wolfgang accomplit un de ses tours de force les plus célèbres : dès son retour à

Ci-dessus :
La chapelle Sixtine, au Vatican, où les *Mozart entendirent le Miserere d'Allegri.*

Ci-contre :
Hieronymus Colloredo, prince-archevêque de Salzbourg, d'après une peinture à l'huile de Franz Xavier König, 1772. Il succéda au bienveillant archevêque Schrattenbach, mort en décembre 1771, ne fut pas aimé de sa cour et les Mozart le considérèrent comme un tyran.

l'auberge, il l'écrivit de mémoire au fil de la plume.

Après un court séjour à Naples, d'où ils visitèrent le Vésuve et Pompéi, ils revinrent à Rome où le pape Clément XIV les reçut en audience particulière et remit à Wolfgang la croix de l'Éperon d'or, puis ils se rendirent à Bologne où ils séjournèrent trois mois. Wolfgang y reçut l'enseignement du Père Martini et y composa notamment la plus grande partie de son opéra *Mitridate, rè di Ponto* (K. 87), sur un livret tiré de la tragédie de Racine. Cet opera seria, créé le 26 décembre 1770 à Milan, fut accueilli avec enthousiasme, ce qui tient du miracle si l'on songe que le compositeur n'était pas italien et n'avait pas encore quinze ans.

Après une visite à Turin, puis à Venise où ils passèrent un mois, les Mozart retrouvèrent Salzbourg le 28 mars 1771. Ils n'y restèrent que cinq mois et demi avant d'entreprendre le deuxième voyage en Italie. C'est à Milan que Wolfgang composa la serenata *Ascanio in Alba* (K. 111), commande de l'impératrice Marie-Thérèse pour les noces de l'archiduc Ferdinand, fixées au mois d'octobre à Milan. La sérénade eut un grand succès, comme la symphonie en fa (K. 112) et le divertissement en mi bémol (K. 113) écrits pendant son séjour.

Le jour même de leur retour à Salzbourg, le 16 décembre, se produisit un événement qui allait avoir une profonde influence sur la suite de leur vie : le décès de l'archevêque

Sigismond, comte de Schrattenbach, qui s'était montré un prince débonnaire. Le comte Hieronymus von Colloredo, homme jeune et énergique – il n'avait que quarante ans –, lui succéda en mars 1772. Les Salzbourgeois, comme les Mozart, découvrirent bientôt que leur nouveau maître entendait faire régner l'ordre et la discipline (il supportera de moins en moins les absences prolongées de Léopold et finira par lui interdire, en 1777, de quitter Salzbourg. Leurs relations s'envenimerons encore et Léopold perdra son emploi en 1781). Colloredo, lui-même musicien, tenait beaucoup à la réputation musicale de sa cour. Il se rendait compte que le jeune Mozart, dont la réputation s'étendait maintenant à toute l'Europe, pouvait y contribuer grandement. En août 1772, il le nomma donc *Konzertmeister* et l'autorisa à s'absenter dès l'automne, accompagné de son père, pour ce qui allait être leur troisième et dernier voyage d'Italie. Les plus importantes des œuvres composées par Wolfgang avant son départ pour l'Italie sont sept symphonies, K. 124 (en sol), 128 (en ut), 129 (en sol), 130 (en fa), 132 (en mi bémol), 133 (en ré), 134 (en la), qui témoignent d'un mûrissement rapide. La première est encore imprégnée d'italianisme alors que la sixième (en ré) révèle une profonde influence des symphonies de Joseph Haydn et que la dernière (en la) est véritablement « mozartienne ».

LE TROISIÈME VOYAGE D'ITALIE, 1772-1773

À la suite du succès d'*Ascanio in Alba*, lors de son précédent voyage, Mozart avait reçu la commande d'un *opera seria*, *Lucio Silla* (K. 135), qui devait être créé le 26 décembre à Milan. Accompagné de son père, il quitta Salzbourg pour l'Italie le 26 octobre et arriva à Milan le 4 novembre. Il apportait les récitatifs, mais il dut les refaire, le livret ayant été remanié. Il acheva pourtant la composition en six semaines. Malgré des difficultés dues à la distribution, l'œuvre fut bien accueillie et représentée vingt-six fois.

Pendant ce séjour en Italie – ce sera le dernier –, il composa aussi, entre autres, six quatuors pour cordes (K. 155 à 160 – le dernier sera achevé à Salzbourg) et une de ses œuvres vocales les plus célèbres, *Exsultate, jubilate* (K. 165), un motet pour soprano avec accompagnement de 2 violons, alto, 2 haut-

bois, 2 cors, basse et orgue. Pour Léopold, le but essentiel du voyage était de trouver un emploi pour Wolfgang, soit à Milan, soit à la cour de l'archiduc Léopold de Toscane. N'ayant rien obtenu et leur congé étant expiré, le père et le fils reprirent la route de Salzbourg où ils arrivèrent en mars 1773.

Nannerl ayant maintenant vingt-deux ans et Wolfgang seize, Léopold décida, peu après son retour, de déménager dans un appartement plus vaste et la famille Mozart s'installa dans huit pièces donnant sur Hannibalplatz (aujourd'hui Makartplatz). Cela dut être un choc pour Anna-Maria et ses enfants, car le père ne les avait informés de sa décision qu'au dernier moment.

Léopold se demandait toujours comment il pourrait assurer à son fils une position d'avenir meilleure qu'à Salzbourg. Profitant d'une absence de l'archevêque, il se rendit avec lui

à Vienne en juillet et obtint une audience de l'impératrice Marie-Thérèse, mais ses espoirs furent une fois encore déçus. Pendant ce séjour de deux mois et demi, Mozart composa, comme il l'avait fait à Milan, une série de quatuors (K. 168 à 173). De retour à Salzbourg, il dirigea son énergie créatrice dans d'autres directions et c'est seulement dans les années quatre-vingts, quand il vivra à Vienne, qu'il composera ses chefs-d'œuvre dans ce genre. En décembre 1773, il remaniera un quintette – genre dans lequel il excellera aussi – composé peu après son retour d'Italie (K. 174, en si bémol). Le père du quintette à cordes fut Michel Haydn (frère du grand Joseph Haydn) qui ajouta au quatuor à cordes habituel un alto supplémentaire afin d'obtenir une harmonie plus pleine et plus riche.

À la fin de 1773 et au début de 1774, Mozart composa plusieurs symphonies, divertimenti et sérénades. Si ces œuvres avaient été écrites au milieu du XVIIIᵉ siècle par n'importe quel autre compositeur, elles seraient jugées remarquables aujourd'hui, mais Mozart ayant ensuite porté ces genres à la perfection, on ne leur accorde que l'attention réservée aux œuvres de jeunesse. Vers septembre 1774, l'électeur de Bavière, Maximilien Joseph, commanda à Mozart un *opera buffa* italien pour le carnaval de 1775, *La Finta Giardiniera* (K. 196) et lui demanda d'en diriger l'exécution. L'archevêque Colloredo, ne voulant pas offenser son puissant voisin, donna son autorisation. Léopold accompagna Wolfgang à Munich où ils passèrent trois mois (Nannerl les rejoignit pour assister à la première représentation, le 13 janvier 1775). N'ayant pas obtenu la situation à la cour qu'avait espéré Léopold

Ci-contre : Milan, où le jeune Mozart connut de nombreux succès. C'est là que les opéras Mitridate, Lucio Silla *et la célèbre cantate* Exsultate jubilate *furent donnés en public pour la première fois.*

pour son fils, les Mozart quittèrent Munich le 6 mars et se retrouvèrent à Salzbourg le lendemain soir.

DE L'ADOLESCENCE À LA MATURITÉ

Ci-dessous : Sur ce portrait de 1777, Mozart, âgé de vingt et un ans, porte la croix de l'Éperon d'or.

La vie des Mozart fut assez calme pendant les deux années suivantes. Wolfgang écrivit ses cinq concertos de violon, K. 207, 211, 216, 218, et 219, avec accompagnement de 2 violons, alto, 2 hautbois (et/ou 2 flûtes), 2 cors et basse. Bien qu'aucun de ces concertos ne soit aussi important que ceux de piano, ils comprennent, plutôt que les clichés musicaux de l'époque, de nombreux traits annonçant le grand Mozart. Pourtant, Wolfgang n'était pas le dernier à sacrifier à la mode nouvelle, comme le prouve le thème populaire « à la hongroise » qui fait soudain irruption à la fin du troisième mouvement du concerto de violon en la (K. 219). Ce style de musique était alors extrêmement populaire à Vienne et même dans toute l'Autriche.

Pendant les années 1776 et 1777, Mozart composa beaucoup de musique religieuse pour divers événements ecclésiastiques qui eurent lieu en la cathédrale de Salzbourg. Les œuvres profanes les plus importantes de cette époque sont la *Serenata notturna* en ré (K. 239) pour deux petits orchestres, le concerto pour trois pianos (K. 242), deux divertimenti (K. 247 et 251) et la sérénade en ré (K. 250). La plupart de ces compositions furent des commandes de familles salzbourgeoises aisées : le concerto pour trois pianos fut écrit pour la comtesse de Lodron et ses deux filles, lesquelles étaient des élèves de Mozart ; la sérénade pour le mariage de la fille

de Sigmund Haffner, ancien bourgmestre de la ville.

En janvier 1777, Mozart composa le concerto de piano en mi bémol (K. 271) destiné à la virtuose française Mademoiselle Jeunehomme. C'est le premier des grands concertos pour cet instrument et le premier marqué indiscutablement du sceau du futur grand Mozart. L'andantino en ut mineur, très original, a une allure d'arioso d'opéra avec des récitatifs où le piano se substitue à ce qui aurait dû être les parties vocales.

À la demande de l'archevêque, Mozart composa *Il Rè pastore, dramma per musica* (K. 208), sur un poème de Métastase, à l'occasion de la visite d'État, en avril 1777, de l'archiduc Maximilien Franz. Bien que celui-ci eût aimé l'œuvre, le compositeur ne reçut aucun témoignage financier de satisfaction. Mozart avait le sentiment que ni l'archevêque Colloredo ni la cour de Salzbourg n'appréciaient sa production musicale à sa

juste valeur et son aversion pour cette ville platement provinciale s'en accrut.

C'est à cette période de son existence que le caractère de Mozart commença à se transformer, sans doute parce que toute son enfance avait été complètement dominée par un père sévère et autoritaire. Dès l'âge de quatre ans, la vie de Wolfgang avait été entièrement remplie par la musique et l'étude – l'enfant avait été privé des jeux de son âge – et la discipline stricte imposée par Léopold n'avait jamais été sérieusement remise en question. Tout allait désormais changer car un nouveau Wolfgang était né, avide de vivre, impulsif, exubérant. Tout se passait comme si Mozart voulait rattraper le temps perdu (on a même dit qu'il s'était alors lancé à corps perdu dans la danse, le billard et la fréquentation des jolies personnes). Soudain, le travail – même s'il s'agissait de sa musique aimée – lui parut avoir perdu de son importance et le peu d'argent qu'il gagnait s'envo-

Ci-dessous : Scène familière du milieu du XVIIIᵉ siècle par Januarius Zick, montrant un groupe de musiciens « potinant » autour d'une tasse de café et jouant au billard. Au désespoir de son père, Mozart se prit de passion pour le billard et passa souvent toute la nuit à bavarder et boire avec des amis.

lait en bagatelles. Inévitablement, tant d'insouciance et de gaieté (et un humour paillard qui a effaré ses premiers biographes quand ils ont dépouillé sa correspondance), se refléta dans ses compositions pour la cour et finit par affecter ses relations avec Colloredo. Léopold fut scandalisé et meurtri par le nouveau comportement de ce fils sur lequel il avait tout misé. Imbu de toutes les convenances, il fut incapable de le comprendre, malgré l'amour qu'il lui portait. Les relations entre le père et le fils, qui avaient toujours été très étroites, finiront pas se distendre.

L'archevêque Colloredo s'irrita de plus en plus des commandes de musique profane dont bénéficiait Mozart et, surtout, des continuelles demandes de congé de Léopold pour lui et Wolfgang. Il les ignora ou les refusa et finit par mettre fin à l'emploi du père et du fils, mais reprit le premier à son service peu après.

Ci-contre : Bien qu'elle fût une petite ville, Mannheim constitua un centre important de la vie musicale européenne dans la seconde moitié du XVIIIᵉ siècle.

Ci-dessous :
Christian Cannabich, compositeur de la cour de Mannheim et grand ami des Mozart. Il présenta Wolfgang à la famille Weber (lithographie de H.E. von Wintter).

EN ROUTE POUR PARIS, 1777-1779

Léopold avait combiné de nouveaux voyages dans l'espoir que son fils finirait par trouver un emploi plus digne de lui, mais il n'osait pas le livrer à lui-même en raison de sa nature insouciante et du manque de maturité dont il faisait preuve en certains domaines. Enchaîné à Salzbourg, il ne pouvait l'accompagner et se résigna à le confier à sa femme. C'est avec un cœur très lourd que, le 23 septembre 1777, Léopold embrassa Anna-Maria et Wolfgang et les aida à monter dans la chaise de poste. Il était contraint de se séparer pour la première fois de ce fils dont il avait, jusque-là, entièrement modelé l'existence et peut-être avait-il le pressentiment qu'il ne reverrait plus sa femme.

Après une quinzaine passée à Munich en vaines démarches, les voyageurs se rendirent à Augsbourg, ville natale de Léopold. Wolfgang eut une amourette avec sa jeune cousine, Maria Anna Thekla, et se lia avec Johann Andreas Stein, un habile facteur de clavecins, de pianos et d'orgues.

Le 30 octobre, Mozart et sa mère arrivèrent à Mannheim, capitale du Palatinat, qui fut un des grands centres musicaux du XVIIIᵉ siècle. Son opéra était excellent, son orchestre sans rival en Europe et Mozart fut enthousiasmé par la présence, alors insolite de clarinettes. Les œuvres de l'école symphonique de Mannheim, servie par des interprétations exceptionnelles, annoncent les symphonies classiques qui seront composées par Haydn et Mozart.

Bien qu'il n'y eût pas d'emploi disponible à la cour, Mozart s'immergea dans la vie musicale de Mannheim et réussit à gagner quelque argent en donnant des leçons aux enfants des musiciens et des compositeurs de la cour tels Cannabich, Wendling et Danner. Christian Cannabich, excellent violoniste, compositeur en vogue et successeur de Stamitz à la tête de l'orchestre se lia d'amitié à Mozart et lui fit connaître la famille Weber. Fridolin Weber, qui occupait les modestes fonctions de souffleur et copiste de théâtre, avait quatre filles et un fils. La deuxième fille, Aloysia, âgée de seize ans, était ravissante et douée d'une jolie voix de soprano. Mozart ne tarda pas à en tomber éperdument

Ci-contre : *Les sœurs Wendling, Élisabeth et Dorothée, chanteuses renommées, devinrent de grandes amies de Wolfgang et de sa mère lors de leur séjour à Mannheim. Mozart composa des arias pour elles et leur destina plusieurs rôles dans ses opéras.*

amoureux. À l'instigation des Weber, il envoya le 4 février 1778 une lettre à son père – il lui écrivait plusieurs fois par semaine – pour l'informer qu'il préférait renoncer à se rendre à Paris et lui demander de faire tout son possible pour qu'il puisse se rendre en Italie. Son idée (ou plutôt celle des Weber) était de faire des tournées en Italie, en Suisse et en Hollande avec Aloysia, elle comme chanteuse, lui comme compositeur. Il ajoutait que s'ils se fixaient pour longtemps quelque part, la sœur aînée (Josepha Weber, qui créera la Reine de la Nuit dans *La Flûte enchantée)* leur serait « très utile... car elle sait faire aussi la cuisine ».

Inutile de dire que le malheureux père fut au désespoir quand il apprit ces projets extravagants. Dans sa réponse, Léopold re-

nonça à son ton autoritaire habituel : il supplia son fils de renoncer à son projet ; expliqua qu'il avait sacrifié sa propre carrière pour lui ; souligna que Nannerl et lui se privaient pour lui donner les moyens de développer encore son talent ; l'implora de s'en tenir à ce qu'ils avaient décidé ensemble et de ne pas oublier son devoir filial et ses promesses.

Mozart céda aussitôt. Par une lette du 19 février, il confia à son père qu'il n'avait jamais eu dans l'idée de faire ce voyage avec la famille Weber, mais qu'il avait donné sa parole d'honneur de lui en parler. Finalement, le samedi 14 mars 1778, Wolfgang et sa mère prirent place dans leur chaise et se mirent en route pour Paris. Anna-Maria était soulagée que son fils eût exaucé les souhaits de son mari, tandis que Wolfgang avait le cœur lourd d'avoir dû s'arracher à Aloysia. Le lendemain de son arrivée, après neuf jours et demi d'un voyage fatigant, il écrivit à son père que jamais de sa vie il ne s'était tellement ennuyé.

Pendant son séjour à Mannheim, Mozart a composé, notamment, quelques airs de concert pour Aloysia Weber, Anton Raff et Dorothea Wendling ; cinq sonates pour piano et violon (K. 296, 301, 302, 303, et 305) ; deux concertos pour flûte (K. 313 et 314) et deux quatuors pour flûte, violon, alto et violoncelle (K. 285 et 298) commandés par un riche flûtiste amateur hollandais, M. de Jan, par l'entremise du mari de Dorothea Wendling. Mozart ne pouvait souffrir la flûte – ni de Jan

d'ailleurs, peut-être parce qu'il ne reçut jamais le payement promis – et on ne range pas ces concertos – les deux seuls qu'il écrivit pour la flûte – parmi ses meilleurs œuvres. Pourtant rien de ce qu'a composé Mozart n'est négligeable : ces concertos font certainement partie de ce qui a été composé de meilleur pour cet instrument et on les joue encore souvent de nos jours.

À Paris, Mozart et sa mère descendirent à l'auberge des Quatre Fils Aymon, rue du Gros-Chenêt (ainsi s'appelait alors la partie de la rue du Sentier comprise entre la rue de Cléry et la rue des Jeûneurs). Leur séjour ne fut pas un succès car la ville de 1778 n'était plus celle que la famille Mozart avait connue en 1764 et Wolfgang, aussi, n'était plus le

même. Les amateurs d'opéra étaient divisés en deux camps qui se disputaient âprement — les partisans de l'ancienne musique, qui soutenaient Piccinni, et les admirateurs de Gluck, qui se voulaient éclairés et se réclamaient de Rousseau. Mozart ne s'intéressait pas aux disputes des piccinnistes et des gluckistes et Paris ne s'intéressait pas à lui. L'enfant prodige avait été oublié depuis longtemps et qui aurait pu imaginer qu'un génie musical habitait ce jeune homme d'aspect assez quelconque ? Les portes ne s'ouvrirent pas par miracle et Mozart n'eut d'autre ressource que de s'adresser de nouveau à Melchior Grimm. Celui-ci le recommanda au duc de Guines, un ami de Marie-Antoinette influent à la cour. Guines, qui avait étudié la

musique avec Rameau, jouait « de la flûte de manière incomparable » (lettre de Mozart à son père du 14 mai 1778) et sa fille était « magnifique sur la harpe ». Il demanda à Mozart de donner à celle-ci des leçons de composition. Il accepta mais se plaignit, dans cette même lettre, que la demoiselle manquât totalement d'idées. Pour remercier le duc de sa générosité, il composa pour le père et la fille un concerto pour flûte et harpe (K. 299). Malheureusement, Guines quitta Paris sans payer aucune des leçons données à sa fille.

À cette époque, Paris était une des rares villes d'Europe où des concerts publics fussent donnés. Jean Le Gros, directeur du Concert spirituel, demanda à Mozart de composer une symphonie concertante pour ins-

Ci-contre : *Concert de musique de chambre dans le salon d'une résidence du XVIIIe siècle (gravure d'après Augustin de Saint-Aubin).*

truments à vent et orchestre (K. sup. 9) et une symphonie (K. 297). Les parties concertantes de la première furent écrites pour la flûte de Wendling, le hautbois de Ramm, le basson de Ritter – tous trois membres éminents de l'orchestre de Mannheim – et le cor de Jan Václav Stich – qui fut le plus célèbre corniste d'Europe sous le nom de Punto. Ces quatre musiciens se trouvaient à Paris en même temps que Mozart. Celui-ci remit le manuscrit à Le Gros, l'œuvre fut répétée, mais l'exécution publique n'eut pas lieu et le manuscrit disparut (on en retrouvera une copie près d'un siècle plus tard, mais une main inconnue avait remplacé la flûte par la clarinette et transposé la partie de cor sur un registre plus élevé. On ne sait donc pas jusqu'à quel point l'œuvre a été remaniée et c'est pour cela qu'elle est classée dans l'index supplémentaire du catalogue Köchel).

En mai, on offrit à Mozart le poste d'organiste à Versailles, qui lui aurait permis de se rapprocher de la cour, mais il tergiversa et finit par refuser. Puis Noverre, le maître de ballet de l'Académie Royale de musique lui demanda la musique pour son ballet *Les Petits Riens*. Enthousiasmé à l'idée que, si son travail plaisait, il pourrait obtenir la commande d'un opéra, il se mit à l'ouvrage. Le ballet fut créé le 12 juin, mais le nom du compositeur ne fut pas mentionné – ce genre de pillage était courant à l'époque pour la musique de ballet. La partition, retrouvée en 1872 à la bibliothèque de l'Opéra, est indiscutablement l'œuvre de Mozart à l'exception de six morceaux qu'il a qualifié de « vieux misérables airs français » dans une lettre à son père.

La symphonie en ré (K. 297) dite Parisienne mentionnée plus haut fut exécutée avec succès le 18 juin au Concert spirituel des Tuileries par un orchestre comptant soixante musiciens. Les vents y jouent un rôle important et c'est la première symphonie de Mozart comptant des clarinettes. Elle fut reprise le 15 août avec un nouvel andante, le premier ayant déplu à Le Gros.

Anna-Maria Mozart, qui était clouée au lit depuis le 19 juin, mourut le 3 juillet 1778 à 10 heures 21 minutes du soir. Mozart passa le reste de la nuit à écrire deux longues lettres, la première à son père l'informant que « ma chère maman est très malade », la seconde à l'abbé Bullinger, un ami de la famille, le chargeant d'une mission auprès de Léopold et Nannerl : « ne leur dites pas encore qu'elle est morte, mais préparez-les à l'apprendre ». Il ne trouvera le courage de mettre lui-même son père au courant que le 9 juillet. Elle fut enterrée dans un des cimetières dépendant de Saint-Eustache. Mozart en voulut beaucoup

à Melchior Grimm de ne pas assister aux funérailles et leurs relations s'altérèrent encore plus quand il fut incapable de lui rendre l'argent qu'il lui devait.

En août, Mozart eut la joie de rencontrer Jean-Chrétien Bach qu'il avait bien connu à Londres et qu'il tint toujours en haute estime. Dans son admiration juvénile pour le compositeur plus âgé, il avait arrangé trois de ses sonates en concertos qu'il avait joués dans ses tournées.

Léopold se tourmentait au sujet de son fils, abandonné à lui-même dans la grande ville et dont le séjour ne donnait pas les résultats espérés (à dire vrai, Melchior Grimm, qui hébergeait le jeune homme depuis la mort de

sa mère, noircissait délibérément la situation). Il ne vit pas d'autre solution que de supplier Colloredo de le reprendre à son service. A sa grande surprise, l'archevêque offrit à Wolfgang le poste d'organiste de la cour, qui était devenu vacant entre-temps.

Cédant à l'insistance de son père, Mozart s'arracha à Paris le 26 septembre 1778, mais il ne rentra pas directement à Salzbourg. Après un mois passé à Nancy et Strasbourg, il débarqua le 6 novembre à Mannheim où il comptait retrouver Aloysia dont il était toujours éperdument amoureux. Il découvrit alors que la famille Weber avait déménagé à Munich où le nouvel électeur de Bavière, Charles-Théodore, avait transporté sa cour.

Malgré les pressantes instances de son père, Mozart séjourna un mois à Mannheim, où il espéra, jour après jour, qu'une situation lui serait offerte.

Finalement, il se décida à quitter Mannheim, à contre-cœur, mais au lieu de rentrer à Salzbourg, il prit la route de Munich où il arriva le 25 décembre. Aloysia ne lui témoigna que froideur et indifférence. Elle n'avait sans doute jamais partagé ses sentiments et sa fortune avait changé : elle avait été engagée au Théâtre allemand, gagnait beaucoup d'argent et un compositeur sans le sou ne l'intéressait plus. Elle épousera un acteur, Joseph Lange, et Mozart ne la reverra qu'en 1781 à Vienne.

Ci-contre : *Nannerl, Wolfgang et Léopold Mozart peints vers 1780 par J.N. della Croce. Au mur, un portrait d'Anna-Maria Mozart, morte en 1778. Ce tableau se trouve au Mozarteum de Salzbourg.*

Ci-dessus : *Stuart*
Burrows dans le rôle
d'Idoménée.
Idomeneo, Rè di
Creta *est le plus*
ancien opéra de
Mozart représenté
encore aujourd'hui.

LA PÉRIODE INTERMÉDIAIRE

*La maturité musicale de Mozart adolescent,
sa rupture définitive avec l'archevêque Colloredo,
son installation à Vienne*

Mozart rentra à Salzbourg vers le milieu de janvier 1779, le cœur lourd. Il avait perdu sa mère et la jeune fille qu'il aimait ; il n'avait trouvé ni mécène ni emploi ; sa bourse était vide et il se retrouvait dans une ville qu'il détestait. Par dessus tout, il était essentiel qu'il gagnât quelque argent afin d'aider son père à rembourser les dettes contractées pour lui. Il n'avait d'autre issue que de retourner au service de l'archevêque.

Les deux années suivantes ne furent pas très heureuses. Bien qu'il fût de retour à la maison et sous sa surveillance, Léopold sentait qu'il ne pouvait plus lui faire confiance. Mozart, avide d'indépendance, supportait de moins en moins l'étroitesse des conventions sociales de Salzbourg, ville provinciale s'il en fût. Une des raisons de son insatisfaction était l'absence d'un théâtre lyrique permanent – contrairement à Munich et Mannheim, Salzbourg devait se contenter des troupes de passage – car l'opéra était devenu sa passion. De plus, ses fonctions d'organiste à la cathédrale et les tâches qu'il devait accomplir à la

demande de son maître restreignaient sa liberté.

En haut : Mozart par Joseph Lange (1789). Aloysia Weber, le premier amour de Mozart, épousa Lange en 1781.

Ci-contre : Intérieur de la cathédrale de Salzbourg. Mozart fut nommé organiste de la cour en 1779 et c'est ici que de nombreuses œuvres religieuses de cette période intermédiaire furent entendues pour la première fois.

UNE PÉRIODE D'APPROFON-DISSEMENT

C'est pourtant pendant ces années qu'il composa deux de ses plus importantes œuvres religieuses. D'abord la messe en ut, dite « du Couronnement » (K. 317), en mars 1779, puis les *Vesperae Sollenes de Confessore* (K. 339). La messe a probablement été composée en commémoration du couronnement de la Vierge miraculeuse de Maria Plain, au nord de Salzbourg. Cette œuvre est pour quatre voix avec accompagnement de deux violons, deux cors, deux trompettes, deux timbales et basses (violoncelle, contrebasse, bassons et orgues). On entend dans l'*Agnus Dei* de cette messe et de la suivante (K. 337, également en ut), composée un an plus tard, des thèmes dont le début se retrouvera dans les airs *Dove sono i bien momenti* et *Porgi amor* chantés par la Comtesse dans les Noces de Figaro.

Les *Vesperae de Dominica* (K. 321) datent de la même période que les *Vesperae Solemnes de Confessore*. Ces Vêpres sont remarquables par leur liberté d'écriture. On interprète aujourd'hui surtout les secondes, dont l'inspiration est plus dramatique que religieuse. Le *Laudate Dominum* des secondes vêpres, dont le thème, exposé par le violon, est répété et étendu par le soprano puis repris par le chœur sur les mots *Gloria Patri* est à la fois enchanteur et grandiose.

Pour ce qui est de la musique orchestrale et instrumentale, ce dernier séjour à Salzbourg fut une période d'approfondissement et de maturation. L'œuvre la plus caractéristique à cet égard est la symphonie en mi bémol (K. 364) pour violon et alto avec accompagnement de deux violons, deux altos, violoncelle, contrebasse, deux hautbois et deux cors (l'alto soliste étant accordé un demi-ton plus haut). L'influence de l'école symphoniste de Mannheim est évidente. Mozart atteint ici un nouveau sommet de l'invention mélodique et, notamment dans le mouvement lent, d'une sérénité inoubliable et d'une beauté sublime, de l'art du dialogue entre le violon et l'alto solistes.

Le concerto en mi bémol pour deux pianos (K. 365), composé pour Nannerl et lui-même, est d'humeur plus joyeuse. Dans cette œuvre

Ci-contre :
Emmanuel Schikaneder, acteur et impresario, qui rencontra Mozart pour la première fois à Salzbourg, en 1780, quand il lui commanda la musique de scène de Thamos, König in Aegypten.

Ci-contre :
*L'empereur
Joseph II, par Anton
von Maron. Après la
mort de sa mère,
l'impératrice
Marie-Thérèse, il
encouragea la création
d'un opéra
spécifiquement
allemand, alors que
l'opéra italien
dominait alors la scène
musicale.*

brillante, pleine d'humour, Mozart montre une étonnante maîtrise de l'art de faire dialoguer les solistes entre eux et avec l'orchestre.

Les symphonies en sol et en si bémol (K. 318 et 319) de 1779 ainsi que la symphonie en ut majeur (K. 338) de 1780 sont typiquement salzbourgeoises. Écrites pour cordes, hautbois, bassons et cors, elles sont de bonne facture et annoncent les chefs-d'œuvre du genre qui viendront plus tard.

On pourrait qualifier de musique de divertissement les deux sérénades dans lesquelles

interviennent des cors de postillon (K. 320) ou des cors de chasse (K. 361) ainsi que le divertimento (grand sextuor) K. 334. Dès sa composition, le premier menuet du divertimento a été une des pièces de Mozart les plus populaires et il l'est resté. En 1780, Emmanuel Schikaneder (le futur librettiste de *la Flûte enchantée*), qui était en tournée à Salzbourg avec une troupe théâtrale, demanda à Mozart de remanier la musique de scène du drame héroïque de Gebler *Thamos, König in Aegypten* qu'il avait écrite en 1773 à Vienne au retour de son dernier séjour en Italie.

Ci-contre : Georg Friedrich Haendel. Mozart l'admirait beaucoup et réorchestra deux de ses œuvres les plus connues, le masque Acis and Galatea *et l'oratorio* Le Messie *pour des concerts à Vienne pendant l'hiver 1788.*

Ci-contre : Une brillante représentation théâtrale eut lieu pour célébrer le mariage de Joseph II avec Isabelle de Parme. Peinture de Meytens.

Telle est l'origine de « deux chœurs et un mélodrame » K. 345.

L'impératrice Marie-Thérèse mourut en novembre 1780 et son fils, Joseph II, fut ainsi affranchi d'une tutelle pesante qu'il avait dû subir pendant quinze ans. Despote éclairé, il allait remodeler complètement le vieil empire des Habsbourg.

IDOMÉNÉE

C'est peu avant la disparition de l'impératrice que l'électeur de Bavière, Charles-Théodore, qui désirait un grand *opera seria* dans la tradition italienne pour le carnaval de 1781 à Munich, en passa commande à Mozart. *L'opera seria* traditionnel, qui remontait à l'époque de Haendel consistait en une succession, organisée selon un schéma rigide, de récitatifs et d'airs.

Ci-contre :
Constance dans
L'Enlèvement au
sérail *qui fut*
représenté pour la
première fois en 1782.

Le livret fut confié à Gianbattista Varesco, chapelain de la cour de Salzbourg. Connaissant le librettiste, Mozart travailla encore plus vite que de coutume. Quand il eut écrit une grande partie de la partition de *Idomeneo, Rè di Creta* (K. 366), il se rendit à Munich, où il arriva au début de novembre, pour la terminer.

Les rôles des femmes devaient être tenus par les deux talentueuses sœurs Dorothée et Elisabeth Wendling ; celui d'Idoménée par Antoine Raff pour lequel Mozart avait déjà composé, mais que l'âge avait privé d'une partie de ses moyens ; celui d'Idamante par un castrat qui n'était jamais monté sur scène : « il faut que je chante avec lui, car il est obligé d'apprendre tout son rôle comme un enfant... il n'a ni intonation, ni méthode, ni sentiment », écrivit Mozart à son père. Les airs furent donc adaptés aux moyens des

Ci-contre : Christoph Willibald Gluck, un des compositeurs d'opéras les plus importants de son époque. Mozart lui succéda en 1787 comme compositeur de la cour impériale.

Ci-contre : L'Hôtel de ville de Munich au milieu du XVIIIᵉ siècle. Mozart aimait beaucoup la capitale de la Bavière, mais il ne réussit pas à s'y faire engager.

interprètes : ceux destinés aux femmes sont empreints d'une merveilleuse jeunesse et contiennent les plus belles trouvailles de l'œuvre.

Léopold et Nannerl vinrent à Munich pour la première représentation, le 29 janvier 1781, deux jours après le vingt-cinquième anniversaire de Mozart. Il n'existe pas de correspondance à ce sujet, mais on sait que, malgré des difficultés dues à la distribution, *Idoménée* eut beaucoup de succès, puis tomba dans l'oubli.

En grande partie héritier de la tradition gluckienne, mais imprégné du génie mozardien, *Idoménée* est le plus ancien opéra du compositeur que l'on entend encore aujourd'hui. Pourtant, l'*opera seria* n'était pas un genre que Mozart affectionnait particulièrement et il n'en composera ensuite qu'un seul, en 1791 – année de sa mort –, *La Clemenza di*

Tito (K. 621), pour le couronnement de l'empereur Léopold II à Prague.

LA RUPTURE
AVEC
L'ARCHEVÊQUE

Ainsi qu'ils en avaient l'habitude, les Mozart s'attardèrent – Munich offrait de nombreuses distractions et puisque l'archevêque Colloredo se trouvait à Vienne, rien ne pressait. Heureux de leur liberté retrouvée, Léopold et ses enfants se rendirent même à Augsbourg pour voir leurs parents. Pourtant, leur absence de Salzbourg et la négligence de leur service à la cour n'étaient pas passées inaperçues et Mozart reçut un jour l'ordre de se présenter immédiatement, à

Vienne, chez son souverain l'archevêque. Il fit aussitôt sa malle, monta dans la chaise de poste et arriva le 16 mars à Vienne où on lui donna une chambre dans la maison même de l'archevêque.

Quand on relate la suite des événements, on attribue généralement, sans nuance, le rôle du méchant à l'archevêque et à Mozart celui du génie bafoué. Le caractère impérieux de Colloredo, qui exigeait une stricte discipline et jouissait du pouvoir que lui conférait sa haute position, ne fait pas de doute. Il reconnaissait le génie de Mozart, sa vanité était flattée par le prestige que la présence du jeune homme apportait à sa cour, mais il supportait de moins en moins qu'il négligeât les devoirs de sa charge au profit de ses ambitions personnelles. Aux yeux de l'archevêque, l'emploi de Mozart – organiste de la cour – en faisait un simple domestique (rien d'extraordinaire à cela, c'était les idées du temps) et il entendait le lui rappeler fermement.

À l'instar de son père dans sa jeunesse, Mozart détestait toute servilité. L'étiquette imposée à la cour de Salzbourg était rigide et les obligations qui en résultaient bridaient son génie créateur. Après son succès à Munich et la liberté dont il avait joui dans cette ville, il se retrouvait soumis à l'autorité tatillonne de l'archevêque et de ses subordonnés. Il était contraint de prendre ses repas avec les autres domestiques : « les valets de chambre prennent place au haut de la table... moi, j'ai du moins l'honneur d'être assis avant les cuisiniers » (lettre du 17 mars à son père). Pour l'humilier encore davantage, Colloredo lui intima l'ordre de se présenter chaque matin dans son antichambre et de s'y tenir à sa disposition. Mozart désobéit délibérément et, le 9 mai, après une discussion orageuse avec l'archevêque, il lui offrit sa démission.

Mozart, comme il l'avait toujours fait, écrivait régulièrement à son père pour le tenir au courant de tous les détails de son existence. Léopold l'adjura, dans chacune de ses lettres de renoncer à son projet, mais il ne fut pas écouté. La rupture définitive avec la cour eut lieu le 9 juin. Ayant appris que l'archevêque devait quitter Munich le lendemain et ne sachant pas si sa démission, réitérée (on la lui avait renvoyée plusieurs fois), était acceptée ou non, il décida de se rendre lui-même près de l'archevêque. Il fut reçu dans l'antichambre par le comte d'Arco, grand maître des cuisines. Dans sa lettre du 16 juin à son père, Mozart relata ainsi la scène : « il me jette à la porte et me donne un coup de pied au derrière. Eh ! bien, cela veut dire, en bon allemand, que Salzbourg n'existe plus pour moi, à moins d'une bonne occasion de rendre

Ci-contre : Portrait de Constance, sa belle-sœur, par Joseph Lange. Mozart l'épousa en 1782 en dépit des réticences de Léopold.

à M. le comte son coup de pied au cul (textuel), quand il passerait en pleine rue ». Dans la même lettre, il lui disait de ne pas s'inquiéter car il entrevoyait pour lui-même un avenir rose à Vienne. Malgré les efforts de Léopold, Mozart ne revint pas sur sa décision et resta à Vienne. C'était la première fois que Wolfgang désobéissait ouvertement à son père.

Depuis le 2 mai, Mozart habitait chez ses vieux amis les Weber qui s'étaient installés à Vienne à l'automne de 1779, quand Aloysia avait été engagée au théâtre national. Fridolin était mort peu après et il ne restait plus dans la maison que sa veuve et ses trois filles non mariées, Josepha, Constance et Sophie. Il n'est pas étonnant que Mozart ressentît

bientôt une inclination – Mme Weber ne manqua pas de l'encourager – pour Constance, qui avait alors dix-huit ans.

Léopold, très inquiet du refuge choisi par son fils car il le savait toujours prompt à s'enflammer – l'avenir allait lui donner raison – exigea qu'il aille habiter ailleurs, ce qui fut fait à la fin de juillet.

Ayant quitté le service de l'archevêque au moment le plus défavorable, car la noblesse et la bourgeoisie riche s'installaient à la campagne pour la belle saison, Mozart n'avait qu'une unique élève. Il disposait donc de beaucoup de temps qu'il mit à profit pour composer, notamment, quatre sonates pour violon et piano (K. 376, 377, 379 et 380) et la sérénade en mi bémol (K. 375) pour deux hautbois, deux clarinettes, deux cors et deux bassons. Il entreprit aussi la composition de son opéra *Die Entführung aus dem Serail* (l'Enlèvement au sérail, K. 384). Celui-ci fut écrit car l'empereur Joseph II désirait encourager le drame lyrique allemand, alors que l'opéra français et, surtout, italien dominait la scène musicale. Il est curieux, dans ces circonstances, que le sujet retenu ne fût pas un *Singspiel* purement allemand, mais bien une turquerie. Il est vrai que, depuis le XVIIᵉ siècle, on aimait beaucoup les œuvres ayant un parfum oriental et que de nombreux compositeurs, de Lully à Gluck et Mozart, sacrifièrent à cette mode.

Comme à son habitude, Mozart se mit au travail aussitôt qu'il eut reçu le livret, le 29 juillet 1781, avec une ardeur dévorante. La représentation était prévue pour la mi-septembre, mais la jalousie de certains et une succession d'intrigues, pires que celles dont il avait été victime au moment de la création d'*Idoménée*, entraînèrent des retards et c'est finalement sur intervention de l'empereur que l'*Enlèvement au sérail* fut donné le 16 juillet 1782. « Hier, mon opéra a été donné pour la seconde fois, écrivait-il à son père le 20 juillet, auriez-vous pu supposer que la cabale serait encore plus violente hier qu'à la première soirée ?... Le premier acte en entier a été sifflé... ils n'ont pourtant pas pu empêcher les cris de bravo soulignant les airs... ».

Finalement, ce fut un grand succès, il fut représenté encore douze fois à Vienne en 1782 et ce fut l'œuvre de Mozart la plus souvent jouée pendant la vie du compositeur. Certains ont dit que *L'Enlèvement* fut le premier opéra allemand ; il n'y a pas de doute que l'œuvre de Mozart est une de celles où il plonge ses racines.

Pendant toute cette période, Mozart continua à donner des leçons à plusieurs élèves dont Josepha Palffy (une parente de l'archevêque Colloredo...) et Josepha Auernhammer. La seconde était si laide qu'il ne pouvait s'empêcher de la brocarder sans cesse. Elle tomba follement amoureuse de son professeur qui ne répondit évidemment pas à sa flamme. En revanche, il fut si impressionné par son talent de pianiste qu'il révisa à son intention son concerto pour deux pianos en mi bémol (K. 365) et ajouta à l'orchestre des clarinettes, des trompettes et des timbales. Il composa aussi, pour la jouer avec elle, la brillante sonate en ré pour deux pianos (K. 448).

LE MARIAGE

En décembre 1781, pressé par Mme Weber, Mozart s'engagea par écrit à épouser Constance dans un délai de trois ans et en informa aussitôt son père. Léopold, qui

Ci-dessous :
Une scène de
L'Enlèvement au
sérail, *au Royal
Opera de Londres,
en 1987.*

avait, depuis toujours, gouverné la vie de son fils, s'opposa formellement à ce projet de mariage.

Peu après, Mozart composa deux sérénades qui furent les deux premiers d'une longue série de chefs-d'œuvre. La première était une commande à l'occasion de l'anoblissement de Sigismund Haffner, fils d'une riche famille salzbourgeoise ; la partition fut envoyée à Salzbourg, mais Mozart la réclama un peu plus tard et la remania profondément. On la connaît aujourd'hui comme symphonie en ré « Haffner » (K. 385). De la seconde, en ut mineur (K. 388), il tirera des années plus tard un de ses plus célèbres quintettes à cordes (K. 406), dans la même tonalité.

Après des fiançailles troublées par des ragots, des intrigues et des scènes pénibles avec la mère de sa fiancée, qui avait une faiblesse pour la bouteille, Mozart épousa Constance Weber le 4 août en la cathédrale Saint-Étienne, la veille du jour où le consentement paternel lui parvint enfin. La cérémonie fut suivie d'un souper offert par la baronne Waldstätten, qui avait pris Mozart sous sa protection et l'avait aidé lors de ses conflits avec Mme Weber. Les relations entre Léopold et son fils n'étaient plus tout à fait harmonieuses depuis que Mozart avait quitté le service de l'archevêque Colloredo, mais les liens étroits qui les unissaient toujours se relâchèrent après le mariage et ne se rétablirent jamais.

Malheureusement Constance, de santé fragile et d'esprit superficiel, se révéla incapable de soutenir l'activité créatrice de son mari, dont elle ne sut reconnaître le génie. Elle était aussi désarmée que lui devant les difficultés de la vie pratique. Le couple déménageait souvent, au gré de la fortune, et l'argent s'envolait aussitôt gagné. Dans les passes difficiles, Mozart n'hésitait pas à faire appel à ses amis et il ne cessa de s'endetter lourdement. Pourtant, les époux, l'un et l'autre gais et insouciants, s'entendirent bien.

Constance donna à son mari six enfants en neuf ans, dont deux seulement dépassèrent la petite enfance. Ces grossesses à répétition l'épuisèrent et elle fut souvent malade (Mozart lui-même ne fut jamais robuste ; les fatigues endurées quand Léopold exhibait partout l'enfant prodige, les voyages incessants depuis l'enfance, une vie difficile, surtout depuis son mariage, contribuèrent à son

Ci-dessous : Le contrat de mariage de Mozart, daté du 3 août 1782. Après des mois d'intrigues de Mme Weber et la menace de poursuites judiciaires, Wolfgang et Constance se marièrent finalement le 4 août 1782.

usure prématurée et à sa mort, à l'âge de trente-cinq ans).

La journée du jeune marié commençait généralement par des leçons de clavecin ou de piano, qu'il donnait aux enfants, aux jeunes filles ou aux dames de la petite noblesse et de la bourgeoisie aisée. Il se rendait habituellement chez ses élèves où il était souvent retenu pour le déjeuner, à moins qu'il ne fût invité par des amis. Ensuite, il jouait presque toujours au billard, sa distraction favorite. Mais ses pensées ne s'éloignaient jamais longtemps de la musique et il arrivait fréquemment qu'il interrompît une partie pour noter un thème qui lui avait traversé l'esprit. Il avait aussi l'habitude – de nombreux témoignages l'ont attesté – de pianoter machinalement sur n'importe quelle surface, à tout moment, ce qui devait être très irritant pour ses compagnons.

CONCERTS
ET
COMPOSITIONS

À la fin de 1782, Mozart avait commencé la composition d'une série d'œuvres, y compris les six quatuors qu'il dédiera à son ami Joseph Haydn (K. 387, 421, 428, 458 – « La Chasse » –, 464 et 465). Ceux-ci furent composés en un peu plus de deux ans, le dernier n'étant pas achevé avant le début de 1785. Il avait rencontré Haydn l'année précédente et les deux hommes s'étaient aussitôt liés d'amitié, sans trace de cette jalousie professionnelle qui empoisonna les relations de Mozart avec de nombreux autres compositeurs de Vienne.

Les autres œuvres de cette série furent deux concertos pour cor (en mi bémol, K. 417 et 447) et trois concertos pour piano (en fa, K. 413 ; en la, K. 414 ; en ut, K. 415. Ces concertos pour cor, comme tous ceux composés pour cet instrument, furent écrits pour Joseph Leutgeg, qui fut corniste à l'orchestre de la cour de Salzbourg avant de se fixer à

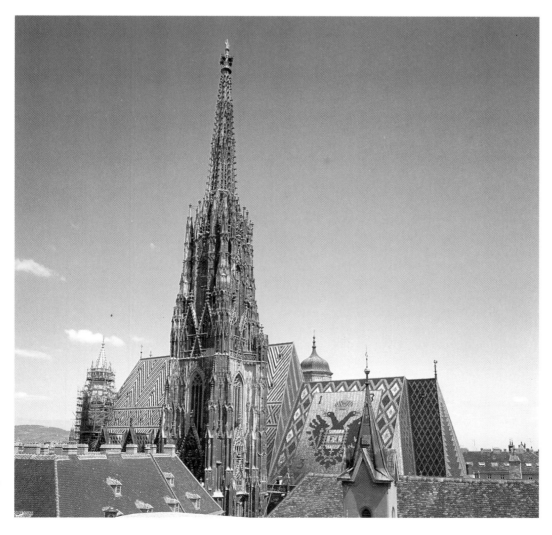

Ci-contre : La cathédrale Saint-Étienne de Vienne où fut célébré le mariage de Mozart.

Vienne. Ils abondent en plaisanteries adressées au dédicataire : le premier porte la mention suivante : « Wolfgang Amédée Mozart a eu pitié de Leutgeg, l'âne, le bœuf et le fou, à Vienne, le 27 mai 1783 » ; un troisième concerto pour cor, dans la même tonalité (K. 495) et destiné au même Joseph Leutgeg, est écrit avec des encres de plusieurs couleurs.

Les concertos pour cor furent écrits, comme de juste, pour les instruments de l'époque – c'est-à-dire un cor d'harmonie (sans pistons). Mozart montre dans ces œuvres une compréhension étonnante des possibilités plutôt limitées de l'instrument, sans pour autant faire aucune concession au soliste, que ce soit dans les mouvements lents ou dans le rondo final prestement enlevé, notamment celui du K. 417 qui évoque nettement la chasse.

Après les leçons particulières, les principales ressources de Mozart furent les concerts par souscription. Ceux-ci étaient généralement donnés dans les résidences privées de Viennois fortunés et, parfois, quand les lieux s'y prêtaient, ouverts au public. Mozart y interprétait un concerto pour piano et espérait en retirer quelque bénéfice, notamment grâce à la vente par souscription de la partition du concerto ou de sa réduction. Son attente fut trop souvent déçue, comme ce fut le cas pour les trois concertos de piano (K. 413 à 415) : la publication par souscription fut un échec et, comme il avait dû contracter un emprunt pour en financer la gravure et que ses créanciers se montraient pressants, il fut obligé de solliciter l'aide de son amie la baronne Waldstätten.

Ce genre de situation se répéta constamment pendant les neuf années suivantes, jusqu'à la mort de Mozart. Il fit toujours preuve de légèreté dans l'organisation de ses concerts par souscription et de beaucoup d'optimisme dans l'évaluation du bénéfice qu'il en tirerait. Et quand, inévitablement, sa situation financière devenait catastrophique, il préférait s'en remettre à la générosité de ses amis plutôt que d'essayer de s'aider lui-même. Dans ce domaine, il se conformait parfaitement à l'image stéréotypée du génie planant loin au-dessus des contingences de la vie quotidienne.

Le plus important concert que Mozart eût jamais organisé eut lieu le 23 mars 1782 en présence de l'empereur Joseph II qui entendit, entre autres, la symphonie en ré majeur « Haffner » (K. 385) et le dernier concerto de piano de la première série viennoise (en ut, K. 415). Malheureusement, une fois encore, la présence de l'impérial auditeur valut à Mozart de nombreux applaudissements, mais guère d'argent.

L'enfant qu'attendait Constance obligea Mozart à repousser au printemps 1783 le voyage qu'il avait prévu d'effectuer à Salzbourg à l'automne pour présenter sa jeune femme à son père et à Nannerl. Le premier enfant du couple, baptisé Raymond Léopold, naquit le 17 juin, mais il ne vécut que deux mois et mourut le 19 août, pendant le séjour de ses parents à Salzbourg.

Avant ce déplacement, Mozart avait suggéré à son père, dans sa lettre du 21 mai, un autre lieu de réunion, Munich par exemple, car il craignait que l'archevêque Colloredo ne le fît peut-être arrêter. Léopold l'ayant rassuré, il s'était finalement décidé à courir ce risque.

Mozart avait fait le vœu, avant son mariage, de faire exécuter une nouvelle messe à Salzbourg s'il y menait Constance comme sa femme. Il en avait écrit la moitié avant de quitter Vienne et l'acheva sur place. La grande messe en ut mineur (K. 427) fut donc donnée pour la première fois en l'église Saint-Pierre le 25 août 1783, Constance chan-

Ci-contre : Du vivant de Mozart, on se réunissait souvent entre amis pour faire de la musique et les concerts organisés avaient généralement lieu dans des résidences privées.

tant la partie de premier soprano. Le motet *Ave verum corpus* (K. 618) et le *Requiem* (K. 626) – achevé par un élève –, qui datent de l'année de sa mort, sont avec la messe en ut les seules œuvres religieuses que Mozart composa après avoir quitté le service de l'archevêque Colloredo.

Celui-ci avait commandé à Michel Haydn une série de six duos pour violon et alto. Haydn étant malade n'avait pu en écrire que quatre. Par amitié et reconnaissance pour son vieux maître, Mozart – à l'insu de l'archevêque – composa les deux autres (K. 423 et 424), qui passèrent à l'époque pour des œuvres de Haydn.

Le séjour de Wolfgang et Constance à Salzbourg ne fut pas un succès. Mozart eut le sentiment que sa femme n'était pas acceptée par sa famille comme il l'eût souhaité. Chacun fut poli, il n'y eut aucun conflit, mais nulle chaleur de la part de Léopold et de Nannerl. Ce fut probablement un soulagement pour le jeune couple de quitter Salzbourg, fin octobre. Mozart ne devait plus jamais y retourner.

En route pour Vienne, les Mozart s'arrêtèrent à Linz, à l'invitation du vieux comte Thun chez lequel ils logèrent. Le lendemain de leur arrivée, Mozart écrivit à son père : « mardi 4 novembre, je donnerai ici un concert... et comme je n'ai pas avec moi la moindre symphonie, je me suis plongé dans une nouvelle qui doit être achevée d'ici là. C'est dans ces conditions que fut composée – en quatre jours – la symphonie en ut majeur « Linz » (K. 425). C'est une œuvre joyeuse qui fait appel aux trompettes et aux timbales, mais qui ne comprend pas de flûtes ni de clarinettes (sans doute n'y en avait-il pas chez le comte Thun). En 1783, la clarinette était une addition récente à l'orchestre symphonique et peu de musiciens étaient capables d'en jouer.

Ce n'est qu'à leur retour à Vienne que les Mozart apprirent le décès de leur fils. La mortalité infantile était, à cette époque, encore très élevée, mais Mozart fut très affecté par la disparition du petit Raymond Léopold. Il en parla en ces termes dans sa lettre du 10 décembre à son père : « Quant au pauvre gros, gras et cher petit homme, nous avons tous les deux bien du chagrin ».

La plus grande partie de 1784 fut dominée par des problèmes familiaux. Bien que Mozart consacrât une grande partie de son temps à la composition, il ne produisit guère

Ci-dessous : *Début d'une sonate pour violon composée par Mozart en 1782. Remarquez la dédicace à sa femme, en français, en haut à droite.*

de chefs-d'œuvre pendant cette année. En été, il fut malade plusieurs semaines de ce que l'on diagnostiquerait aujourd'hui comme une néphrite aiguë. Au grand soulagement de Léopold, Nannerl épousa le 23 août le baron von Berchthold zu Sonnenburg, de quinze ans son aîné et qui avait déjà cinq enfants d'un premier mariage. Le couple alla vivre à Saint-Gilgen, petite ville proche de Salzbourg où Anne-Marie Mozart avait passé son enfance. Nannerl donna un fils et deux filles à son mari, mais seul le premier survécut. À la mort du baron, en 1801, Nannerl et son fils retournèrent vivre à Salzbourg. À Vienne, le 21 septembre 1784, Constance donna le jour à un deuxième fils, Carl Thomas, qui vécut jusqu'en 1858.

MOZART FRANC-MAÇON

En 1784, Mozart montra un intérêt croissant pour la franc-maçonnerie qui, à Vienne, n'était pas considérée comme anti-religieuse, en dépit de certaines tensions avec l'église catholique. En décembre, il fut initié à la loge de la Bienfaisance. Peu après,

un certain nombre de frères de cette loge et d'autres ateliers en formèrent une autre, l'Espérance nouvellement couronnée, dont Mozart fera partie jusqu'à sa mort. La liberté de conscience et la fraternité universelle que défendait la franc-maçonnerie attiraient l'élite du monde littéraire et artistique de l'époque (Gluck, Haydn, Gœthe, Herder, Lessing et Wieland en firent notamment partie) ainsi que des membres de la noblesse éclairée.

L'appartenance à la franc-maçonnerie donna probablement à Mozart un certain sentiment de sécurité, surtout vers la fin de sa vie, quand il dépendit de plus en plus de l'aide financière de ses frères pour subsister.

Il prit au sérieux ses devoirs de franc-maçon et apporta sa contribution musicale aux travaux de sa loge. L'air *Gesellenreise* (le Voyage du compagnon), pour chant et orgue (K. 468) date probablement de l'époque où Léopold, qui était venu rendre visite à son fils à Vienne, fut lui-même initié à la franc-maçonnerie (1785). La cantate *Die Maurerfreude* (la Joie du maçon) pour ténor, chœur d'hommes et orchestre (K. 471) fut donnée le 24 avril 1785, sous la direction de Mozart, à l'occasion d'un banquet de la loge dont il faisait partie. La *Maurerische Trauermusik*

Ci-contre : Le comte Thun entouré de symboles maçonniques (estampe d'après une peinture de Rahmel, 1787). Mozart fut attiré par la franc-maçonnerie et initié à la loge de la Bienfaisance en décembre 1784. On trouve dans nombre de ses œuvres composées depuis, des allusions cachées à la franc-maçonnerie.

Ci-contre : *Le château Esterház à Eisenstadt, résidence préférée du prince Nicolas Esterházy, le maître de Joseph Haydn. Mozart fut invité à jouer à la résidence viennoise du prince, en 1784.*

Ci-dessous : *La flèche de la cathédrale Saint-Étienne se découpe dans le ciel de Vienne.*

(Musique funèbre maçonnique) pour petit orchestre (K. 477) fut probablement écrite après le décès, en 1785, de deux compagnons de Mozart en franc-maçonnerie. Deux solos et chœurs maçonniques (K. 483 et 484) étaient destinés à être chantés à l'entrée en séance et à la clôture des travaux de la loge de Mozart, l'Espérance nouvellement couronnée, dont le maître était alors (1786) le chevalier de Gebler, vice-chancelier et commandeur de l'ordre de Saint-Étienne – auteur du drame héroïque *Thamos, König in Aegypten* (Thamos, roi d'Égypte), dont Mozart composa la musique en 1773, et la révisa en 1779, à la demande d'Emmanuel Schikaneder (K. 345). Enfin, *Das Lob der Freundschaft* (l'Éloge de l'amitié), petite cantate maçonnique pour deux ténors, basse et orchestre (K. 623) est la dernière œuvre signée et datée par Mozart, une quinzaine de jours avant sa mort. Son texte est d'Emmanuel Schikaneder, l'auteur du livret de *la Flûte enchantée* – en partie

Ci-contre : *Joseph Haydn (ce portrait date de 1792 – le compositeur avait alors soixante ans) était le frère aîné de Michael Haydn, ami de Mozart et compositeur de la cour de l'archevêque Colloredo à Salzbourg. L'étude des œuvres de Joseph Haydn, dont il devint aussi l'ami et qui reconnut son génie, a marqué les œuvres de la maturité de Mozart.*

d'inspiration maçonnique –, qui faisait partie de la même loge que le compositeur.

Mozart se lia particulièrement avec un autre franc-maçon, le clarinettiste Antoine Stadler. C'est à cette amitié et à la virtuosité de Stadler que l'on doit le grand nombre d'œuvres de Mozart pour clarinette – toutes dédiées à Stadler.

Joseph Haydn, qui résidait habituellement au palais du prince Nicolas Esterházy, se trouvait à cette époque à Vienne où il avait suivi son maître. Mozart fut invité à jouer à la résidence viennoise du prince et il renoua ses liens d'amitié avec Haydn auquel il dédia ses six quatuors à cordes (composés entre 1782 et 1785). Le quatuor à cordes est sans doute une des formes musicales les plus difficiles, pourtant Mozart n'avait pas tout à fait vingt-neuf ans quand il acheva ceux dédiés à Haydn, qui sont des chefs-d'œuvre (Haydn avait près de cinquante ans quand il composa ses plus beaux quatuors).

Au début de 1785, Léopold – qui vivait seul à Salzbourg depuis le mariage de Nannerl – demanda un congé de trois mois pour rendre visite à son fils et à Constance. Pendant son séjour à Vienne, Mozart invita chez lui trois autres compositeurs parmi les meilleurs du temps, Ditters von Dittersdorf, Vanhal et Haydn. Chacun prit un instrument et ils jouèrent les trois derniers quatuors de Mozart. Léopold fut enthousiasmé par la beauté de l'interprétation et transporté de joie quand Haydn lui dit : « Devant Dieu et sur mon honneur d'honnête homme, je dois vous dire que votre fils est le plus grand compositeur que je connaisse ».

Peu après, Léopold fut encore récompensé de ses sacrifices quand il entendit son fils jouer en présence de l'empereur Joseph II, au cours d'une soirée qui fut un triomphe pour Mozart. Il quitta Vienne pour Salzbourg le 25 avril, persuadé que tout Vienne était aux pieds de son fils. Il devait mourir deux ans plus tard, le 28 mai 1787 sans l'avoir jamais revu.

Les concertos de piano tiennent une place prépondérante dans la production de la dernière partie de 1784 et 1785. Toutes les œuvres de cette période et de l'année suivante témoignent de l'épanouissement de son

Ci-contre : *Page de titre de l'édition originale des six quatuors de Mozart dédiés à Joseph Haydn, œuvres en parties inspirées par l'admiration de Wolfgang pour la musique de chambre du maître viennois.*

SEI
QUARTETTI
PER DUE VIOLINI, VIOLA, E VIOLONCELLO.
Composti e Dedicati
al Signor
GIUSEPPE HAYDN
Maestro di Cappella di S.A.
il Principe d'Esterhazy &c &c
Dal Suo Amico
W. A. MOZART
Opera X.
In Vienna presso Artaria Comp.
Mercanti ed Editori di Stampe, Musica,
e Carte Geografiche.

art. Mozart était alors au zénith de sa réputation et de son succès, mais sa fortune déclinera ensuite rapidement.

Le concerto en sol majeur (K. 453) fut suivi de celui en si bémol (K. 456), commandé pendant la visite de Mozart et de Constance à Salzbourg par la célèbre pianiste aveugle Marie-Thérèse Paradies, qui faisait une tournée dans les principales villes d'Europe. Puis ce fut une série de trois, en mi bémol, si bémol et ré (K. 449 à 451) ; celui en fa (K. 459) et, au début de 1785, celui d'une tonalité si sombre, en ré mineur (K. 466). Ce dernier fut joué pour la première fois peu après l'arrivée de Léopold à Vienne. On l'a tenu longtemps pour le plus romantique des concertos de Mozart et Beethoven, séduit par sa qualité, a écrit des cadences pour les premier et dernier mouvements. Le mouvement lent est intitulé *Romanze*, un titre inattendu pour un mouvement de concerto de la fin du XVIIIe siècle.

Le concerto en do (K. 467) composé peu après, qui associe aussi trompettes, cors et timbales, est d'humeur joyeuse. (La beauté limpide de l'*andante* et son utilisation par le cinéma explique peut-être pourquoi ce concerto est celui que l'on donne le plus souvent depuis une décennie).

Ci-contre : *Anna Selina (Nancy) Storace dans le rôle d'Euphrosyne, dans* Comus. *Nancy et son frère Stephen devinrent des amis intimes de Mozart. Celui-ci admirait beaucoup la voix de Nancy et composa plusieurs œuvres pour elle.*

LES DERNIÈRES ANNÉES

Après une vie d'insécurité financière et l'échec de ses tentatives pour trouver un emploi, la santé de Mozart se détériora irrémédiablement

L a rencontre de Lorenzo da Ponte, chez le baron Wetzlar à la fin de l'été 1785, est un jalon important dans la vie de Mozart. Da Ponte, de son vrai nom Emmanuele Conegliano, était un Vénitien d'origine juive, baptisé puis ordonné prêtre, qui avait mené une vie dissolue – sa réputation égalait presque celle de Casanova – avant d'être expulsé des États vénitiens (pour une pièce satirique en vers sur la situation politique) et de se réfugier à Vienne. Bien qu'il eût écrit des livrets pour plusieurs compositeurs d'opéras, dont Salieri (le grand persécuteur de Mozart), il dut essentiellement sa renommée

Page précédente : *Portrait de Mozart peint par Barbara Kraft, en 1816.*

En haut : L'église Saint-Pierre à Salzbourg où fut créée, en 1782, la messe en ut mineur (K. 427) de Mozart.

Ci-contre : Une scène des Noces de Figaro, par le Royal Opera de Londres, en 1987.

à sa collaboration avec Mozart, auquel il fournit les livrets des *Noces de Figaro*, de *Don Juan* et de *Cosi fan tutte*.

Le Mariage de Figaro était la seconde comédie musicale de Beaumarchais. La première, *Le Barbier de Séville*, avait déjà fourni le livret d'un opéra de Paisiello qui connut un succès triomphal dans les années 1780 (il fut ensuite remplacé dans la faveur du public par la version de Rossini, qui date de 1816). Da Ponte n'était peut-être pas le prince des poètes, mais il était certainement perspicace et reconnut le génie de Mozart. De son côté, celui-ci comprit combien da Ponte, rusé et intrigant, pouvait lui être utile.

L'empereur Joseph II, qui la jugeait dangereusement subversive, avait interdit de représenter la comédie de Beaumarchais traduite en allemand (Louis XVI en avait interdit la représentation pendant trois ans : elle ne fut jouée que le 27 avril 1784 à Paris et ce fut un triomphe). Pour faire accepter à Vienne un opéra tiré de cette pièce, il était indispensable de l'expurger pour la débarras-ser de tout ce qui pouvait paraître révolutionnaire et il fallait réussir à convaincre l'empereur qu'elle était devenue inoffensive. Da Ponte fit l'un et l'autre.

La première représentation était prévue pour le 28 avril, mais elle fut retardée par des intrigues fomentées par Salieri, compositeur de la cour. Celui-ci voyait en Mozart, dont il avait compris le génie, un dangereux rival. N'ayant pas réussi à persuader les interprètes que la musique de Mozart n'était pas chantable, il fit couper par l'intendant du théâtre, le comte Rosenberg, le ballet des paysans et des paysannes du troisième acte, pendant lequel le comte reçoit de Suzanne le billet de la comtesse et se pique à l'épingle qui le ferme. Mozart fut si furieux qu'il menaça de jeter la partition au feu, mais da Ponte le calma et recourut à la ruse. L'empereur fut invité à assister à une des répétitions et au moment où l'on arriva au passage censuré, l'orchestre cessa de jouer, les artistes se turent et mimèrent la scène dans un silence impressionnant. L'empereur, intrigué, interrogea da

Ci-contre : Lorenzo da Ponte, le librettiste de trois chefs-d'œuvre de Mozart, Figaro, Don Juan *et* Cosi fan tutte.

Ci-contre : Antonio Salieri, dont on a beaucoup exagéré l'importance des intrigues contre Mozart. Compositeur ayant beaucoup de succès, il fut cependant son rival dans les dernières années de la vie de Mozart.

Ponte et, ayant appris la vérité, fit aussitôt rétablir le ballet.

Les Noces de Figaro furent créées le 1er mai au théâtre de la cour, Mozart dirigeant du clavecin, avec Nancy Storace (*Suzanne*), Francesco Benucci (*Figaro*), le baryton Steffano Mandini (*le comte Almaviva*), la soprano Laschi (*la comtesse*) et Michel Kelly, un Anglais ami de Mozart (*Basile*). Le succès fut triomphal : à la troisième soirée, le public exigea la répétition de tant de morceaux que la durée de la représentation fut doublée. Les ennemis de Mozart, qui n'avaient pas désarmé, réussirent à convaincre l'empereur que ces bis interminables épuisaient les chanteurs et le souverain ordonna que « aucun morceau pour plus d'une voix » ne fût répété. Malgré ce triomphe, la pièce ne fut redonnée que six fois de plus pendant la saison, puis le public, volage, se tourna vers les opéras de Ditters von Dittersdorf *Doktor und Apotheker* et de Martin y Soler – un obscur compositeur espagnol – *La casa rara* (ce dernier fut joué cinquante-neuf fois !). *Figaro*, que les musicologues considèrent aujourd'hui comme le meilleur opéra jamais composé, ne fut rejoué qu'en 1789, avec deux morceaux supplé-mentaires écrits par Mozart pour le rôle de Suzanne.

Pendant la dernière partie de 1785 et les quelques mois de 1786 précédant la création des *Noces de Figaro*, Mozart composa plusieurs autres œuvres. La première fut la musique funèbre maçonnique (K. 477) dont il a été question plus haut. Vinrent ensuite, avant la fin de l'année, la sonate pour piano et violon en mi bémol (K. 481) et le concerto de piano en mi bémol (K. 482). Bien que composé à la hâte pour un concert par souscription, ce concerto, dont l'andante est sublime, nous montre Mozart au sommet de son art. C'est aussi le cas de ceux composés en mars 1786, le concerto en la majeur (K. 488), très gai, et de celui en ut mineur (K. 491), sombre et pathétique.

Pendant l'hiver 1785-1786, Mozart reçut une commande de l'empereur Joseph II pour la mise en musique d'une petite pièce qui devait être donnée le 7 février dans l'orangerie de Schönbrunn en l'honneur du gouverneur général des Pays-Bas. Dans ce *Schauspieldirektor (le Directeur de théâtre*, K. 486), rarement donné aujourd'hui en raison de la surabondance des dialogues parlés, Mozart raille avec talent les prétentions et les pratiques des chanteurs qu'il ne connaissait que trop bien.

Le 18 octobre 1786, Constance mit au monde son troisième enfant. C'était encore un garçon, baptisé Johann Thomas Léopold, mais il mourut moins d'un mois après la naissance.

TRIOMPHE À PRAGUE

Devant faire face à des difficultés financières croissantes; Mozart envisagea de se rendre en Angleterre où il espérait gagner davantage d'argent qu'à Vienne. Constance ne voulant pas se séparer de son mari, ce voyage n'était possible que si Léopold acceptait de se charger des deux enfants survivants, mais il refusa résolument et le projet anglais fut abandonné. Sur ces entrefaites, Mozart apprit que *Figaro* faisait un triomphe à Prague et il décida d'accepter une invitation à s'y rendre avec sa femme.

La plupart des œuvres composées pendant la seconde moitié de 1786 sont de la musique de chambre – les trios avec piano en sol (K. 496) ; et en si bémol (K. 502) ; la sublime sonate en fa pour piano à quatre mains (K. 497) ; le quatuor à cordes en ré « Hoffmeister » (K. 499) et le trio pour piano clarinette et alto (K. 498) dédié à Franciska de Jacquin, élève de Mozart et sœur de son ami intime Godefroid de Jacquin. Cette curieuse formation s'explique par les interprètes auxquels était destiné ce trio : Antoine Stadler à la clarinette, Franciska de Jacquin au piano et Mozart lui-même à l'alto, instrument qu'il adorait.

Le 11 janvier 1787, quand Mozart et Constance arrivèrent à Prague, où ils furent reçus par le comte Thun, ils trouvèrent la ville en proie à une « fièvre figaresque » et eurent droit partout à une réception royale. Le succès des *Noces de Figaro* était tel qu'on en jouait dans toute la ville des extraits arrangés en valses ou en quadrilles et que l'on entendait les gens siffler ses principaux airs dans la rue. Jamais une œuvre de Mozart n'avait connu un tel succès populaire.

Avant de quitter Vienne, Mozart avait

Ci-contre : Prague dominée par le Hradčany et la cathédrale Saint-Guy. Mozart et Constance passèrent des jours heureux dans la capitale de la Bohême, loin des tracas financiers et des crève-cœur de leur vie à Vienne.

composé une nouvelle symphonie (K. 504) qu'il emporta avec lui et qui fut créée dans la capitale de la Bohême. C'est pourquoi on la dénomme symphonie de Prague. Elle est considérée comme une des grandes œuvres symphoniques de Mozart. C'est la seule symphonie en trois mouvements (elle ne compte pas de menuet) de la maturité du compositeur.

Bondini, l'impresario de la troupe qui donnait *Les Noces de Figaro* à Prague, enthousiasmé par le triomphe de l'œuvre (qui restera à l'affiche toute la saison), commanda un autre opéra que Mozart s'engagea à livrer à temps pour la saison suivante, moyennant des honoraires – bienvenus – de cent ducats. Mozart adora son séjour à Prague et passa beaucoup de temps en compagnie des Dušek avec lesquels il s'était lié à Salzbourg. František Dušek, pianiste et compositeur, était un professeur de piano très demandé ; sa femme Josepha était une soprano estimée. À son retour à Vienne, vers le milieu de février, Mozart demanda l'aide de da Ponte pour le livret de son nouvel opéra. Était-ce pour ne pas faire mentir sa réputation de libertin ou parce qu'il appréciait l'ironie que da Ponte proposa de choisir l'histoire de don Juan ?

L'origine – andalouse comme celle de *Figaro* – du personnage de *don Juan*, qui remonte au XVIe siècle, a été la vie aventureuse d'un chevalier de haute noblesse, don Juan Tenorio y Salazar, seigneur d'Albarren et Comte de Maraña, célèbre pour ses débordements. Il tua le commandeur Ulloa dont il avait enlevé la fille. Attiré par la promesse d'une aventure galante dans l'église d'un couvent où se trouvait le tombeau du commandeur, il fut surpris et abattu. Les moines firent disparaître le corps et courir le bruit que don Juan avait été précipité aux enfers par la statue du commandeur qu'il avait insulté. L'histoire du noble espagnol débauché inspira de nombreuses pièces, du *El Burlador de Sevilla* de Tirso de Molina (1627) au *Don Juan* de Molière (1665) et au *Don Giovanni Tenorio, ossia il dissoluto*, de Goldoni (1736). Gluck en avait tiré un ballet, représenté à Vienne en 1761 et le compositeur vénitien Giuseppe Gazzaniga un opéra, *Il convitato di pietra o Don Giovanni Tenorio*, dont le livret était tiré de Goldoni et qui venait d'être représenté à Venise.

Ci-contre :
Silhouette de Mozart dans la maison de ses amis Dušek, à Prague, où il fut souvent reçu avec Constance.

MORT DE LÉOPOLD

Dès qu'il eut reçu de da Ponte le livret de *Il dissoluto punito ossia Don Giovanni*, Mozart se mit au travail. Peu après, il apprit par une lettre de Nannerl que leur père était grièvement malade. Léopold paraissait rétabli quand la mort l'enleva le 28 mai 1787 et son fils n'en fut informé qu'avec plusieurs jours de retard. Préoccupé par ses propres difficultés, il s'était replié sur lui-même et il ne parut pas sévèrement frappé par cette disparition à laquelle il s'était préparé. Pourtant il en fut profondément bouleversé. En 1784, afin de conserver une trace de ses nombreuses compositions, il avait commencé à en dresser le catalogue. À la date du 16 mai 1787, figure le quintette en sol mineur pour deux violons, deux altos et violoncelle (K. 516). La plupart des œuvres les plus poignantes de Mozart sont écrites dans le mode mineur et ce quintette est peut-être la plus poignante de toutes. On y trouve la traduction de l'angoisse qu'il devait éprouver devant la gravité de l'état de son père et de la douleur ressentie à sa disparition.

De mai au début d'août, tout en continuant à travailler à *Don Juan*, il composa surtout de la musique vocale et la sonate en ut pour piano à quatre mains (K. 521). Une des œuvres les plus populaires de Mozart, la sérénade en sol *Eine kleine Nachtmusik* (Une petite musique de nuit, K. 525), pour petit orchestre à cordes, porte la date du 10 août. Il trouva encore le temps d'écrire une sonate pour piano et violon (en la, K. 626) avant de se rendre à Prague, avec sa femme et son jeune fils, pour y achever *Don Juan*. Da Ponte les rejoignit en octobre et alla loger dans l'hôtel en face. L'auteur et le compositeur purent ainsi échanger leurs idées par la fenêtre, par-dessus la tête des passants, sans avoir à quitter leurs chambres. De nombreux témoignages nous ont appris que Mozart n'écrivait les partitions elles-mêmes qu'au dernier moment, modifiant parfois la musique en fonction des chanteurs pendant les répétitions. Constance a raconté qu'il avait écrit l'ouverture de *Don Juan* entre cinq et sept heures du matin la veille de la première représentation, juste à temps pour que le copiste puisse faire son travail. De son côté, da Ponte mettait la dernière main au livret, également pendant les répétitions au cours desquelles il reçut les conseils de Casanova lui-même. Le libertin vieillissant était alors bibliothécaire du comte Waldstein et avait commencé la rédaction de ses *Mémoires*, écrits en français.

Précédée, le 14 octobre, d'une reprise des

Ci-dessous :
« Bertramka », la maison des Dušek à Prague. À l'époque de Mozart, elle se trouvait hors de la ville, au milieu d'un vignoble.

Ci-contre : *Mozart jouant devant l'empereur Joseph II. Sa position de compositeur de la cour impériale ne lui apporta pas la sécurité financière à laquelle il aspirait.*

Noces de Figaro, la première de *Don Juan* (K. 527) eut lieu le 20 octobre 1787, Mozart dirigeant du clavecin. Le premier opéra ayant connu un succès sans égal, il craignait que le second, très différent, ne fût pas aussi bien accueilli. Il avait tort de s'inquiéter car l'enthousiasme fut immédiat. Peu pressés de retrouver Vienne et leurs soucis financiers, Mozart, Constance et leur fils restèrent quelque temps à Prague, à la villa Bertramka,

propriété de leurs amis Dušek. Mozart y écrivit pour Josepha Dušek un de ses plus beaux airs de concert, *Bella mia fiamma* (K. 528).

Le 12 novembre, trois jours après le retour des Mozart à Vienne, Gluck mourut à l'âge de soixante-treize ans. Pour le remplacer, l'empereur Joseph II nomma Mozart, trois semaines plus tard, musicien de la chambre impériale et compositeur de la cour. Mozart

Ci-dessus : Le Bal paré : estampe d'après une gravure d'Augustin de Saint-Aubin. Tout Vienne était passionné de danse à cette époque et Mozart composa d'innombrables contredanses et menuets pour les bals impériaux.

À droite : Une scène d'une représentation de Don Juan à Glyndebourne en 1982. À l'époque de Mozart, on tirait même d'une musique aussi prestigieuse que celle de Don Juan des quadrilles pour les bals de Vienne.

s'imaginait déjà être désormais à l'abri du besoin, mais il dut vite déchanter car si les émoluments de son prédécesseur étaient de 2 000 florins, les siens furent ramenés à 800 florins. Il fut aussi déçu par ce qu'on lui demanda de composer : nulle œuvre d'envergure, mais d'innombrables danses pour les bals impériaux donnés à la Redoutensaal — menuets pour la noblesse, contredanses pour les autres danseurs — (de nombreux autres compositeurs, dont Haydn et Beethoven, furent aussi mis à contribution). Comme tous les autres employés de la cour, Mozart devait signer une feuille d'émargement pour les sommes perçues. Une note marginale qu'il apposa sur l'une d'elle traduit bien son état d'esprit : « Trop pour ce que je fais et trop peu pour ce que je pourrais faire ».

Entre-temps, le 27 décembre 1787, Constance avait donné le jour à une fille, Thérèse, qui ne vécut que six mois.

Après bien des atermoiements, des modifications et des additions que Mozart fut obligé de faire, *Don Juan* fut enfin représenté à Vienne, le 7 mai 1788. La distribution comprenait notamment sa belle-sœur Aloysia Lange (donna Anna), le baryton Francesco Albertarelli (don Giovanni), Francesco Bussani (le commandeur et Masetto). L'ouvrage fut accueilli froidement, mais donné une quinzaine de fois.

Son appartenance à la franc-maçonnerie ne facilitait pas les relations de Mozart avec la cour, car l'empereur avait changé d'attitude envers la société qui, à ses yeux, était responsable de l'agitation que connaissait Vienne.

Mozart avait de plus en plus de difficulté à obtenir les leçons et les commandes dont il avait besoin pour compléter le médiocre revenu que lui valait son emploi à la cour. Sa situation était si désespérée qu'il en fut réduit à écrire une lettre après l'autre pour solliciter un secours financier. Il s'adressa notamment à un de ses frères francs-maçons, Michel Puchberg, un négociant, qui l'aidera beaucoup pendant les trois années suivantes en lui prêtant de l'argent dans la mesure de ses moyens.

Paradoxalement, ces difficultés croissantes ne tarirent pas son inspiration. Par exemple, de juin à septembre 1788, il inscrivit dans son catalogue trois grandes symphonies qui figurent parmi les chefs-d'œuvre immortels de la musique symphonique : en mi bémol (K. 543), en sol mineur (K. 550) et en ut majeur (K. 551, dite « Jupiter »). Autres œuvres importantes de la même période, destinées à son secourable ami Puchberg, les trios avec piano en mi majeur (K. 542) et en ut majeur (K. 548), ainsi que le trio à cordes

en mi bémol (K. 563), une merveille qui est peut-être son œuvre la plus méconnue et dont la possible inspiration maçonnique est controversée.

N'étant plus en mesure de payer son loyer, Mozart avait déménagé en juin, avec Constance, dans la périphérie de Vienne, mais il se rendit vite compte que ce changement présentait plus d'inconvénients que d'avantages et il revint au centre de la ville. Dans l'espoir de gagner quelque argent, il réinstrumenta deux des œuvres les plus connues de Haendel, le masque *Acis et Galatée* (K. 566) et l'oratorio *Le Messie* (K. 572), à la demande du riche baron van Swieten, un protecteur des arts bien connu à l'époque.

VOYAGE EN PRUSSE

Au printemps 1789, le prince Lichnowski, mari d'une des élèves qui lui étaient restées fidèles, proposa à Mozart de l'accompagner – sans Constance – à Berlin. Mozart caressait toujours l'espoir d'obtenir un engagement prestigieux et bien rémunéré et pensait que le roi de Prusse, Frédéric-Guillaume II, qui était passionné de musique, pourrait lui en offrir un à sa cour. En proie à des difficultés financières chaque jour plus graves, il accepta sans hésiter et la chaise de poste privée du prince les emmena à Berlin par Prague, Dresde et Leipzig. Ils s'arrêtèrent en chemin pour rendre visite à des amis et Mozart reçut cent ducats à Dresde, après

Ci-contre : *Frédéric-Guillaume II, roi de Prusse, fut un excellent musicien. Mozart lui dédia ses trois derniers quatuors à cordes.*

avoir joué pour l'électeur de Saxe, Frédéric-Auguste III.

À Leipzig, il rencontra l'organiste de l'église Saint-Thomas, Johann Friedrich Doles, disciple de J.-S. Bach dont il avait remplacé le successeur en 1755. Âgé de soixante-quatorze ans, le cantor reçut Mozart très chaleureusement et l'invita à jouer sur l'orgue de son ancien maître lors d'un concert public.

En Prusse, Mozart partagea son temps entre Berlin, où l'on jouait *L'Enlèvement au sérail* en son honneur, et Potsdam, où se trouvait la cour du roi de Prusse. Le 26 mai, il se fit entendre devant la reine et le roi, qui était généreux, lui fit remettre un cadeau de cent frédérics d'or et l'engagea à composer pour lui six quatuors. Le roi étant un excellent violoncelliste amateur, Mozart, pour le flatter, fit remarquablement chanter le violoncelle dans les quatuors qu'il lui destinait. Dès son retour à Vienne, il composera le premier, en ré majeur (K. 575). Avant de quitter définitivement Berlin, il fit un court séjour à Leipzig où il donna un concert auquel participa Josepha Duček, qui chanta la scène avec rondo (K. 505) « Non temer, amato bene » qu'il avait composée en 1786 pour Nancy Storace, la Suzanne des *Noces de Figaro*.

Peu après qu'il eut regagné Vienne, le 4 juin, Constance, dont la santé était depuis longtemps chancelante et qui attendait un cinquième enfant, tomba malade. Ayant réussi à emprunter encore un peu d'argent à Puchberg, Mozart put l'envoyer à Baden la ville d'eau à la mode.

Les Noces de Figaro furent reprises en août et en septembre, Mozart composa le quintette avec clarinette (K. 581), dédié, comme toujours, au grand clarinettiste Antoine Stadler. C'est une des plus belles œuvres de Mozart, un véritable miracle étant donné les difficultés familiales et financières du compositeur.

Le 16 novembre, Constance mit au monde une fille, mais le bébé mourut le jour même. Puis, au moment où la situation de Mozart était pire qu'elle n'avait jamais été, le destin voulut que l'empereur lui commandât un nouvel opéra. Cette fois encore, le compositeur fit appel à da Ponte pour le livret. Il en résulta une œuvre absolument différente des *Noces de Figaro*, et de *Don Juan*, l'*opera buffa Cosi fan tutte ossia la scuola degli amanti*, comédie de mœurs qui aurait eu pour origine un fait divers ayant alimenté la chronique mondaine à cette époque. La première représentation eut lieu le 21 janvier 1790 et reçut un accueil favorable. Malheureusement, le succès fut de courte durée car l'empereur

Ci-contre : Cosi fan tutte *fut le troisième opéra composé par Mozart sur un livret de Lorenzo da Ponte.*

Ci-contre :
*L'empereur Joseph II
et (à gauche) son
frère, le grand-duc
Léopold de Toscane
(portrait de Batoni).*

Joseph II mourut le 20 février et tous les théâtres furent fermés jusqu'à l'été en signe de deuil.

Après la lueur d'espoir qu'avait été *Cosi fan tutte*, Mozart se trouva plus démuni que jamais. Il n'avait plus que deux élèves et appela, encore une fois, Puchberg au secours. En mai et juin, il composa les deuxième et troisième quatuors pour le roi de Prusse (K. 589 et 590). les trois autres ne verront jamais le jour.

Depuis que Léopold II était monté sur le trône, Salieri n'était plus bien en cour et avait abandonné ses fonctions au théâtre impérial. Mozart espérait lui succéder, mais il attendit en vain et c'est finalement Joseph Weigl, élève d'Albrechtsberger et de Salieri, qui sera choisi. Pendant les mois d'été, Constance tomba de nouveau malade. Mozart, dont les soucis avaient aussi ébranlé la santé, porta les derniers objets de valeur qu'il possédait encore à un prêteur sur gages afin de pouvoir envoyer de nouveau sa femme prendre les eaux à Baden. Des rumeurs sur le comporte-ment trop libre de Constance ajoutèrent encore à sa profonde détresse morale et matérielle.

En septembre 1790, les principaux musi-ciens furent présentés au roi Ferdinand et à la reine Caroline de Naples, à Vienne pour les fiançailles de leur deux filles avec les archi-ducs François et Ferdinand, mais Mozart n'en fit pas partie (c'est à cette occasion que Haydn fut invité à Naples). Un peu plus tard, la cour impériale se rendit à Francfort-sur-le-Main où Léopold II devait être cou-ronné le 9 octobre. Mozart, qui avait aussi été évincé, décida de s'y rendre à ses propres frais, ce qui l'obligea de recourir à un usurier. Il y donna un concert qu'il résuma ainsi dans une lettre à Constance : « superbe du côté de l'honneur, mais d'un maigre succès quant à la recette ».

Sur le chemin du retour, il s'arrêta notam-ment à Mayence et Mannheim, ainsi qu'à Munich où il joua pour l'électeur de Bavière et le roi de Naples qui était son invité. Combien il a dû regretter de ne pouvoir rester

LA DERNIÈRE ANNÉE

dans cette ville où il avait toujours été bien reçu !

Au retour de ce voyage, il trouva une invitation à se rendre à Londres pour y composer deux opéras, envoyée par Robert May O'Reilly, directeur de l'opéra italien. De son côté, le violoniste et organisateur de concert Johann Peter Salomon, qui était venu de Londres inviter Joseph Haydn lui proposa aussi de se rendre en Angleterre, mais il ne put donner suite à ces offres. L'ironie du sort voulait que plus sa réputation grandissait plus sa pauvreté s'aggravait.

Il n'existait pas à l'époque de droit d'auteur, si bien que Mozart ne tirait aucun revenu ni de la publication, ni de l'exécution de ses œuvres. Malgré sa situation désespérée, il composa vers la fin de l'année 1790 le quintette en ré majeur (K. 593), sans doute le plus beau, et le concerto de piano en si bémol (K. 595), qui devait être le dernier.

A lors que Mozart en est réduit à composer de petites danses pour les bals populaires et même une fantaisie pour orgue mécanique (K. 594), une vieille connaissance de l'époque de Salzbourg, le librettiste Emmanuel Schikaneder, lui demanda, au printemps 1791, de composer la musique d'un opéra-féerie, *Die Zauberflöte* (la Flûte enchantée, K. 620), pour le théâtre *auf der Wieden* qu'il dirigeait à Vienne. Schikaneder était franc-maçon comme Mozart et l'œuvre est empreinte de symbolique maçonnique.

Bien qu'elle fût en mauvaise santé, Constance attendait de nouveau un enfant et Mozart, une fois de plus, l'envoya se reposer à Baden pendant l'été. C'est pendant une de ses visites à sa femme qu'il composa le célèbre motet *Ave, verum corpus* (K. 618), première musique religieuse depuis la messe en ut

Ci-contre : *La composition de La Clémence de Titus fut achevée trois mois seulement avant la mort de Mozart.*

Ci-dessus : *Le poète italien Pierre Métastase fut un grand librettiste qui travailla avec de nombreux compositeurs du XVIIIᵉ siècle.*

mineur (K. 427) de 1783. Le 26 juillet, Constance mit au monde un garçon. Baptisé Franz Xavier Wolfgang, qui devint musicien et vécut jusqu'en 1844.

C'est aussi en juillet que fut commandé à Mozart le *Requiem* (K. 626). Pendant longtemps, les circonstances de cette commande, alors anonyme, furent entourées de mystère. La vérité fut connue une quarantaine d'années plus tard : un amateur fortuné, mais sans talent, le comte Walsegg zu Stuppach, qui venait de perdre sa femme, avait commandé ledit requiem, sous le sceau du secret, par l'intermédiaire de son intendant. Il avait l'intention de faire passer l'œuvre pour sienne – habitude courante à l'époque. Mozart mourut sans en avoir terminé la composition. Sa veuve confia l'achèvement de l'œuvre à Joseph Eybler, maître de chapelle de l'église Saint-Étienne, qui ne fit qu'en compléter l'orchestration, puis à Franz Xavier Süssmayer, un jeune élève de Mozart, qui composa la partie manquante.

Vers la mi-août alors qu'il n'avait pas achevé la composition de la *Flûte enchantée* et à peine commencé celle du *Requiem*, Mozart – souffrant déjà de la maladie qui allait l'emporter et surchargé de travail – reçut de Prague une commande inattendue : il s'agissait de mettre en musique un livret de Caterino Mazzola, poète de la cour de Saxe, tiré de la tragédie de Métastase, *La Clemenza di Tito*. Cet *opera seria* devait être représenté à l'occasion du couronnement de l'empereur Léopold II comme roi de Bohême, le 6 septembre.

Mozart se mit aussitôt en route pour Prague, accompagné de Constance – qui recouvrait souvent la santé à la perspective d'une distraction – et de Süssmayer. Au prix d'un effort surhumain, il réussit à terminer *La Clémence de Titus* (K. 621) à temps, mais le succès fut mince. Malade et désenchanté, il quitta Prague à la mi-septembre.

Dès son retour à Vienne, Mozart fut absorbé par l'achèvement de la partition et les répétitions de *La Flûte enchantée*. Il trouva pourtant le temps de composer le sublime concerto de clarinette en la (K. 622) pour son ami Antoine Stadler.

Ci-contre : *Début du « Lacrymosa » du* Requiem *(K. 626), une œuvre sublime que la mort de Mozart laissa inachevée.*

Ci-contre : Estampe représentant le décor du premier acte de La Flûte enchantée, créée à Vienne en 1791.

Ci-contre : Dernier portrait connu de Mozart : gravure à la pointe d'argent par Doris Stokes.

Ci-contre : *Une scène de* La Flûte enchantée. *Tamino est sauvé de l'attaque d'un serpent par les trois messagères de la Dame de la Nuit.*

Ci-contre : *Papageno, l'oiseleur, et sa flûte de Pan : costume dessiné pour une production de l'opéra en 1819.*

La première représentation de la *Flûte* eut lieu le 30 septembre, Mozart dirigeant du clavecin. Sa belle-sœur, Josefa Weber (Mme Hofer), tenait le rôle de la Reine de la Nuit. Le premier acte fut accueilli froidement, mais la salle se dégela ensuite. Le succès s'accrut de soirée en soirée – il y eut plus de vingt représentations pendant le seul mois d'octobre et Mozart eut la satisfaction de voir plusieurs fois son grand rival Salieri y assister.

L'état de son mari s'étant encore aggravé, Constance, qui était retournée à Baden peu après la première représentation, rentra à Vienne. Le 15 novembre, grâce à une amélioration passagère, il put diriger l'exécution de la cantate maçonnique *L'Éloge de l'amitié* qu'il venait de composer. Ce fut la dernière œuvre qu'il eut la force d'achever. Le 20 novembre, souffrant d'une forte fièvre et de maux de tête très douloureux, il fut obligé de s'aliter. Ses mains et ses pieds commencèrent à enfler et il s'affaiblit chaque jour davantage, mais travailla au *Requiem* presque jusqu'à la fin. Mozart mourut dans son sommeil, vraisemblablement d'une fièvre inflammatoire rhumatismale contractée dans l'enfance, un peu avant une heure du matin, le 5 décembre 1791. Il n'avait pas encore trente-six ans.

La nouvelle de la mort de Mozart se répandit parmi ses connaissances. Le riche baron van Swieten vint présenter ses condoléances à Constance et lui conseilla de commander le convoi des pauvres, ce qu'elle fit. Le 6 décembre, Süssmayer accompagna le cercueil de sapin jusqu'à la cathédrale Saint-Étienne où quelques rares amis et Salieri (qu'une rumeur accusait d'avoir empoisonné Mozart) vinrent rendre un dernier hommage au compositeur. Constance, malade, n'était pas présente. Le cercueil fut enseveli le lendemain dans la fosse commune. Soixante-huit ans plus tard, la municipalité de Vienne fit élever un tombeau dans le cimetière où repose, quelque part, Mozart.

Ci-contre : Portrait des deux fils de Wolfgang et Constance Mozart, Carl Thomas (1784-1858) et Franz Xavier Wolfgang (1791-1844) – les seuls des six enfants du couple ayant vécu au-delà de la petite enfance.

Ci-contre : Monument à la gloire de Mozart édifié à Vienne. En quittant Salzbourg, en 1781, Mozart se fixa à Vienne où il passa le reste de sa courte vie.

Wolfgango Amadeo Mozart

LA MUSIQUE

*De son vivant, seuls Joseph Haydn
et quelques autres compositeurs reconnurent le génie de Mozart,
qui est indiscutable aujourd'hui*

L a musique de Wolfgang Amadeus Mozart est une des gloires de la civilisation européenne. Contrairement à de nombreux compositeurs – comme par exemple Verdi, Wagner et Mahler – qui se sont presque uniquement cantonnés dans un seul genre, Mozart a composé des chefs-d'œuvre dans une gamme étendue de formes musicales, symphonies, concertos, musique de chambre, musique religieuse, opéras. Encore enfant, il composa des pièces brillantes sur le plan technique, quelque fût leur forme musicale. Mozart fut un musicien accompli, presque aussi habile au violon, à l'alto et à l'orgue qu'au clavecin et au piano. Parmi les compositeurs qui furent ses contemporains, on trouve de grands noms comme Gluck et Boccherini, mais le seul qui puisse, dans une certaine mesure, soutenir la comparaison avec lui est Joseph Haydn, maître du quatuor à cordes, de la symphonie et de la sonate pour piano.

Bien que Mozart fût applaudi comme enfant prodige, qu'il connût ensuite le succès et que ses pairs reconnussent son immense talent, son véritable génie fut découvert seulement après sa disparition. L'équilibre émotionnel et matériel de son existence quotidienne, comme celle de nombreux artistes, fut fragile. Il passa l'essentiel de la première partie de sa vie à voyager, composant et jouant dans les principales cours d'Europe. La raison majeure de cette errance fut le désir de Léopold de trouver pour son fils une position prestigieuse. Quand Mozart atteignit l'âge adulte, il poursuivit le même but, persuadé que l'atteindre mettrait fin à toutes ses difficultés.

*Page précédente :
Portrait romantique
de Mozart et fac-similé
de sa signature.*

*En haut : Détail d'un
manuscrit d'un
concerto pour violon.*

*Ci-contre :
Instrument ayant
appartenu à Mozart ;
il se trouve maintenant
au Mozarteum de
Salzbourg.*

Malheureusement, quelque fût son génie, les positions stables et bien rémunérées lui échappèrent toujours. Ainsi, l'impératrice d'Autriche Marie-Thérèse, bien qu'elle appréciât son talent, recommanda à son fils de ne pas lui offrir un emploi. À son auguste avis, Mozart n'était qu'un musicien courant le cachet, dont l'engagement eût été indigne de la cour de l'archiduc Ferdinand. Cette opinion semble avoir été partagée par la noblesse influente qui aurait pu œuvrer en sa faveur.

On a identifié largement plus de six cents œuvres de Mozart, patiemment cataloguées au XIXe siècle par un botaniste et minéralogiste, ancien précepteur des princes impériaux, qui s'était passionné pour la musique, Ludwig, Ritter von Köchel. Son catalogue fut édité à Leipzig en 1862. Bien que les recherches musicologiques aient conduit à rectifier un certain nombre de ses renseignements, notamment sur les dates de composition, le catalogue Köchel (nombreuses éditions revues et augmentées, la plus récente en 1964) est toujours la référence universelle pour les œuvres de Mozart et sont indiquées par l'abréviation K.

Aujourd'hui, les concertos, les symphonies et les autres œuvres orchestrales de Mozart sont souvent interprétées par des formations moins nombreuses qu'il y a quelques décennies. Les plus récents enregistrements des symphonies sont souvent dus à des orchestres de chambre jouant soit des instruments modernes, soit des instruments du XVIIIe siècle, dont notamment l'Académie de St-Martin-in-the-Fields, l'English Chamber Orchestra et The Academy of Ancient Music.

MUSIQUE ORCHESTRALE

La plus grande partie de la musique orchestrale de Mozart a été composée à Salzbourg. Elle comprend surtout des sérénades et des *divertimenti* commandés

Ci-contre :
Familiglia Asburgo Lorena *par Martin van Mytens. Des familles riches comme celle-ci protégèrent les arts à la fin du XVIIIe siècle, commandant notamment des œuvres aux compositeurs.*

Ci-contre :
L'Académie de
St-Martin-in-the-Fields
est représentative des
excellents petits
ensembles qui
interprètent
aujourd'hui les œuvres
orchestrales de Mozart.

pour des circonstances particulières. Un bon exemple est la sérénade n° 7 en ré, « Haffner » (K. 250), composée pour le mariage de la fille de Sigmund Haffner, un riche commerçant salzbourgeois, le 22 juillet 1776.

Parmi d'autres, on peut citer la sérénade n° 9 en ré *Posthorn* (Cor du postillon, K. 320), de 1779 et – la plus célèbre de toutes – la sérénade n° 13 en sol *Eine kleine Nachtmusik* (Une petite musique de nuit, K. 525) de 1787, écrite à l'origine pour deux violons, alto, violoncelle et contrebasse. Elle comptait cinq mouvements, mais malheureusement, un menuet a été perdu. Les quatre mouvements que l'on joue aujourd'hui sont un allegro, une romance, un menuet martial avec un délicieux trio et un rondo enjoué sur le thème d'un chant populaire viennois. Cette sérénade offre un exemple incomparable du mariage harmonieux de la forme et du contenu. C'est une des œuvres les plus populaires de Mozart et elle a été abondamment copiée et adaptée.

La *Maurerische Trauermusik* (Musique funèbre maçonnique, K. 477) fut probablement composée après la disparition du duc de Mecklenbourg-Strelitz et du prince Esterházy de Galantha, chancelier de Hongrie, deux frères francs-maçons de Mozart. Les autres œuvres sont surtout des danses composées pour les bals de la *Redoutensaal*.

La plupart de ces œuvres ont été enregistrées par l'Académie de St-Martin-in-the-Fields, l'Orchestre de l'opéra d'État de Dresde, l'Orchestre de chambre de Prague, le Wiener Mozart Ensemble et l'Ensemble à vents néerlandais.

CONCERTOS

M ozart a composé des concertos pour tous les principaux instruments de son temps, à l'exception surprenante du violoncelle. Mis à part ceux pour clavecin de l'extrême jeunesse, le premier que l'on puisse ranger, à la rigueur, dans le répertoire contemporain est le concerto pour basson en si bémol (K. 191), de style galant, qui date de 1774.

Les cinq suivants sont tous pour violon (il en existe un sixième, rarement joué). Ceux qui figurent le plus souvent dans le répertoire sont les trois derniers (K. 216, 218 et 219) – généralement considérés comme montrant la plus grande maturité. Les meilleurs enregistrements contemporains sont ceux d'Itzhak Perlman, Pinchas Zuckerman, Anne-Sophie Mutter et Cho-Liang Lin ; les versions de Josef Suk, Wolfgang Schneiderhan, Arthur Grumiaux, Jascha Heifetz et Zino Francescatti, musiciens de la génération précédente, sont également remarquables.

Vinrent ensuite les concertos pour flûte en sol et en ré (K. 313 et 314). Le second est une transcription d'un concerto pour hautbois, perdu. (Le concerto pour hautbois figurant au catalogue est un arrangement du concerto en ré et porte le même n° Köchel). Peu après son arrivée à Paris, au printemps 1778, Mozart composa le concerto pour flûte et harpe (K. 299).

Mozart composa un nombre important de concertos pour cor entre 1782 et 1786, mais seuls quatre ont survécu. Le premier

Ci-contre : *Anne Sophie Mutter, une interprète de réputation internationale, a enregistré de nombreux concertos pour violon de Mozart.*

(K. 412), qui est le seul en ré, est incomplet puisqu'il ne compte que deux mouvements. De plus, il ne semble pas y avoir de lien entre ces deux mouvements. D'ailleurs Mozart a modifié le finale en rondo cinq ans plus tard. Des trois autres (K. 417, 447 et 495), tous en si bémol, on est certain que deux ont été composés pour Leutgeg. La partition de l'autre (K. 447) ne comporte aucune des « facéties » que Mozart réservait à son corniste favori. L'accompagnement du plus célèbre de ces concertos (K. 495) compte deux hautbois, deux cors et les cordes. Le premier mouvement, un *allegro moderato*, permet au soliste de faire preuve de sa maîtrise des notes tenues et de son imagination dans une cadence libre. Le deuxième mouvement, *romanza*, est un andante d'une grande sérénité se terminant par un dialogue entre le soliste et les violons. Dans le rondo final, *allegro vivace*, sur un joyeux thème de chasse, les fanfares abondent. Un des plus grands interprètes de ces concertos fut Dennis Brain. Autres interprètes remarquables : Mermann Baumann, Barry Tuckwell et Alan Civil. Baumann les a enregistrés avec un cor d'harmonie – ou cor naturel – (sans piston) semblable à celui qu'utilisait Leutgeg.

Le dernier concerto pour instrument à vent est l'ultime concerto qu'écrivit Mozart, en automne 1791, peu avant sa mort. C'est le concerto pour clarinette en la (K. 622) avec accompagnement de cordes, deux flûtes, deux bassons et deux cors. Comme toutes ses œuvres pour cet instrument, il fut composé pour son ami Anton Stadler, franc-maçon comme lui. De nombreux interprètes préfèrent de nos jours le jouer sur l'instrument pour lequel il a été composé, qui a une tessiture plus étendue que celle de la clarinette moderne et descend plus bas dans le grave. Les interprètes utilisant un instrument ancien comprennent Thea King, Anthony Pay et Charles Niedich ; Jack Brymer, Emma Johnson et Karl Leister font partie de ceux qui préfèrent la clarinette moderne. La perfection sublime de ce long concerto, qui comprend trois mouvements – allegro, adagio (en ré), rondo (un allegro en 6/8) – et met admirablement en valeur toutes les ressources de l'instrument, défie toute description tant il est riche d'invention.

Quelques-uns des premiers concertos de Mozart pour clavecin sont des arrangements d'œuvres d'autres compositeurs comme Raupach, Honauer et Jean-Chrétien Bach. Il a composé vingt-sept concertos pour clavecin ou piano. C'est parmi eux et ses opéras que l'on trouve l'expression la plus achevée de son art. Pendant 1784 et 1786, Mozart composa un chef-d'œuvre après l'autre et il est impossible d'établir quelque hiérarchie que ce soit entre eux. Deux concertos pour piano achevés en mars 1786 sont des exemples sublimes de son génie. Le concerto n° 23 en la majeur (K. 488) est un des plus purs et des moins tourmentés. Le premier mouvement, triste et doux, est en demi-teintes ; le deuxième, un adagio, est un des mouvements les plus poignants qu'il ait jamais écrit ; le finale, plein d'entrain, est un des morceaux de Mozart les plus empreints de bonheur.

Le concerto n° 24 en ut mineur présente un contraste saisissant avec le précédent. Mozart a écrit là une de ses œuvres les plus sombres et pathétiques. Il demande un orchestre plus nombreux que celui de tous les autres concertos : en plus des cordes, une flûte, deux hautbois, deux clarinettes, deux bassons, deux trompettes et deux timbales ; seul le deuxième mouvement échappe à l'atmosphère tragique de cette œuvre ; le finale, plutôt que le rondo que Mozart affectionnait généralement, est une série de variations dont la troisième sur un thème de marche. Beethoven aurait particulièrement admiré ce concerto.

Les grands interprètes des concertos de piano sont nombreux. Depuis quelques décennies, une grande partie d'entre eux cherchent à remonter aux sources en dirigeant un orchestre de chambre à partir du piano, comme on le faisait du temps de Mozart. C'est notamment le cas de Daniel Barenboïm, Mitsuko Uchida, Vladimir Ashkenazy et Murray Perahia. Tous ces artistes ont enregistré l'intégralité des concertos pour différentes marques de disques. Les autres pianistes célèbres ayant enregistré la plupart des concertos, mais avec un orchestre plus important et un chef, sont Alfred Brendel, Friedrich Gulda et Rudolf Serkin.

Un pianiste américain, Malcom Bilson, qui joue sur un piano-forte très proche de ceux que Mozart lui-même avait à sa disposition, a enregistré nombre de concertos avec les *English Baroque Soloists* placés sous la direction de John Eliot Gardiner.

SYMPHONIES

Mozart a composé ses premières symphonies en 1764 – il n'avait alors que huit ans –, pendant son séjour à Londres, et le groupe des trois dernières, les « grandes symphonies », en juin, juillet et août 1788, à Vienne, deux ans et demi avant sa mort. La plupart des symphonies de sa maturité, jusqu'à et y compris la n° 36 en ut majeur, « Linz » (K. 425) de 1783, sont des exemples éblouissants du genre symphonique de la fin du XVIIIᵉ siècle et un seul mouvement de l'une ou l'autre de ces œuvres suffit à montrer combien le génie musical de Mozart l'a enrichi.

Examinons brièvement les cinq dernières symphonies. Quand Köchel a fait figurer dans son catalogue une symphonie n° 37, il ne se doutait pas qu'elle était en fait l'œuvre de Michel Haydn, à l'exception de l'adagio maestoso (K. 444) qui en forme l'introduction, composé par Mozart en 1783. La n° 38, en ré majeur, « Prague » (K. 504), est ainsi dénommée car Mozart la fit entendre la première fois dans la capitale de la Bohème

alors qu'il s'y trouvait pour les représentations des *Noces de Figaro*. Curieusement, cette symphonie, composée à Vienne avant son départ, à la fin de 1786, ne reflète pas la gaieté pétillante de *Figaro*, mais annonce plutôt la grandeur de *Don Giovanni*. Dans cette symphonie composée en vue du voyage à Prague, Mozart a supprimé le menuet habituel : peut-être a-t-il estimé qu'il serait incompatible avec le caractère sérieux de l'œuvre ou alors simplement pensé que le public de Prague préférait les œuvres en trois mouvements. On constate dans son écriture musicale de cette époque un changement dans sa technique de composition et la symphonie « Prague » est la première œuvre orchestrale à bénéficier de ce style plus élaboré et plus sérieux. Mozart ne considérait plus la symphonie comme un lever de rideau ou une pièce destinée à marquer la fin d'un concert. Elle était devenue pour lui un moyen d'exprimer une inspiration artistique plus profonde.

Les trois dernières symphonies se sont succédé pendant l'été 1788 : la n° 39 en mi bémol (K. 543) est datée du 29 juin ; la n° 40 en sol mineur (K. 550) du 35 juillet ; la n° 41 en ut majeur « Jupiter » (K. 551) du 10 août. On ne sait pas exactement pourquoi celle-ci a été appelée « Jupiter » et l'on a de bonnes raisons de penser que Mozart n'y fut pour rien. En effet, c'est sur une réduction pour piano gravée à Londres dans les années 1820 que ce nom est apparu. Les éditeurs de musique découvrirent à cette époque que les compositions agrémentées d'un « surnom » se vendaient généralement mieux. Cette trilogie marque un sommet de l'art symphonique, rarement approché et jamais surpassé.

Ci-dessus : *Daniel Barenboïm, le premier des pianistes contemporains ayant joué et enregistré tous les concertos pour piano de Mozart, en dirigeant depuis son piano.*

Un adagio ouvre le premier mouvement de la symphonie n° 39 en mi bémol (K. 543) – Mozart abandonnera ce procédé pour les deux autres –, suivi par un joyeux allegro. Dans le mouvement lent, *andante con motto* en la bémol, le thème principal en forme de marche contraste avec un thème secondaire un peu bizarre qui se fait entendre en fa mineur, puis en si mineur. Le menuet, populaire entre tous dans l'œuvre de Mozart, est probablement plus célèbre que tout autre mouvement de quelque symphonie que ce soit. Les trompettes et les timbales du début créent une atmosphère de fête qui contraste avec la douceur du trio dans lequel le chant est confié à deux clarinettes, l'une jouant dans le haut du registre, l'autre dans le bas. C'est Mozart dans son humeur la plus enjouée qui se montre dans le finale où les bois jouent un rôle décisif.

La symphonie n° 40 en sol mineur (K. 550), sans les trompettes et les timbales des deux autres, est la plus mélancolique de la trilogie. Elle contient des trouvailles mélodiques d'une grande beauté. On est plongé d'emblée dans une atmosphère inquiète et agitée à laquelle succède un des thèmes les plus empreints de charme mozartien que nous ait donné le compositeur. Ce premier mouvement – *molto allegro* – s'achève dans un déploiement d'énergie douloureux. Le délicat andante est empreint d'une résignation mélancolique qui se poursuit dans le menuet où il n'y a nulle trace de l'humeur détendue caractérisant d'ordinaire ce mouvement – seul le trio, en sol majeur, crée une éclaircie. L'*allegro assai* final fait pendant au *molto allegro* du début par son énergie et son second thème d'une beauté poignante.

La dernière symphonie, n° 41 en ut majeur (K. 551), est un monument puissant. Le premier mouvement, *allegro vivace*, qui contient de forts contrastes dynamiques, possède une perfection classique dans l'utilisation des sujets ; le deuxième mouvement, *andante cantabile*, a un thème profond et expressif qui rappelle un chant aux accents prolongés, le menuet est un des plus majestueux du compositeur ; enfin le finale, dans sa complexité pourtant limpide, représente l'apogée du génie contrapuntique et symphonique de Mozart.

De nos jours, on interprète plus volontiers la plus grande partie de la musique de l'époque de Mozart avec de petits ensembles plutôt que de grands orchestres comme la philharmonie de Berlin ou l'orchestre philharmonique de Vienne. De petits orchestres comme *The Academy of St-Martin-in-the-fields* ou *The English Chamber Orchestra* – utilisant des instruments modernes – ou encore *The Academy of Ancient Music* et *The Orchestra of the 18th Century* – utilisant des instruments d'époque – peuvent prendre des rythmes plus enlevés et donner une meilleure impression de spontanéité. Bruno Walter, Herbert von Karajan, Leonard Bernstein, Karl Boehm, Colin Davis, Nikolaus Harnoncourt, Charles Mackerras, Neville Marriner et des chefs plus jeunes – dont certains dirigent des ensembles d'instruments anciens – comme Daniel Barenboïm, Frans Brueggen, Christopher Hogwood, James Conlon et Jeffrey Tate, figurent parmi les chefs mozartiens les plus connus.

MUSIQUE DE CHAMBRE

À l'origine, la musique de chambre était jouée dans un grand salon ou même une pièce d'un appartement et non dans une salle. Elle est interprétée par quelques musiciens – une dizaine au maximum – et la formation la plus répandue est le quatuor à cordes, formé de deux violonistes, un altiste et un violoncelliste.

Mozart a composé vingt-trois quatuors à cordes, dont les plus célèbres sont les six dédiés à Haydn (K. 387, 421, 428, 458, 464, 465). Viennent ensuite ceux écrits pour le roi de Prusse Frédéric-Guillaume II (K. 575, 589, 590).

Les six quatuors dédiés à Haydn comptent parmi ceux dont l'écriture approche la perfection. La variété thématique et la densité de la pensée musicale les rend passionnants pour le spécialiste comme pour l'amateur. Bien que Mozart eût étudié soigneusement les *Russische Quartette* opus 33 de Haydn (1781) et qu'il les eût cités directement dans plusieurs mouvements, les six quatuors en question sont purement mozartiens.

Mozart n'a composé que six quintettes, mais il y montre une maîtrise qui égale celle de Haydn pour les quatuors. Certains musicologues soutiennent même que les quintettes en ut majeur (K. 515) et en sol mineur (K. 516), sont encore supérieurs aux quatuors de Haydn. Mozart aimait particulièrement la sonorité sombre de l'alto. On ne s'étonne donc pas qu'il ait ajouté un second alto au quatuor plutôt qu'un second violoncelle comme la plupart des compositeurs l'ont fait depuis.

Avec le quintette en ut majeur, terminé en avril 1787, on a l'impression que Mozart a atteint le summum de la musique de chambre, mais l'écriture musicale de celui en sol mineur, terminé un mois plus tard, est encore plus achevée. Quelques-unes des œuvres les plus splendides de Mozart sont en mineur et c'est le cas de ce dernier quintette, sombre, amer et tourmenté, avec un mouvement lent particulièrement poignant.

Mozart a composé beaucoup d'autres musiques de chambre pour de nombreuses formations différentes – par exemple, des trios avec piano, des quatuors avec piano, des quatuors avec flûte. Toutes ces œuvres sont d'excellents exemples d'un style plus léger. La musique de chambre la plus magistrale, mise à part celle dont il a été question plus haut, est sans doute le quintette pour clarinette et cordes en la majeur (K. 581), de 1789.

Les quatuors Amadeus, Melos et le Quartetto italiano sont des interprètes sublimes de la musique de chambre de Mozart. Les quatuors Alban Berg, Chilingrian et Salomon nous ont donné aussi des versions superbes.

MUSIQUE VOCALE

M ozart a composé de nombreux airs de concert pour soprano, ténor et basse avec accompagnement d'orchestre. À son époque, il était courant d'en insérer entre les différents mouvements des œuvres symphoniques. La plupart ont été écrits pour des amis du compositeur comme Josepha Dušek, les sœurs Wendling, Anton Raaf, Ludwig

Ci-dessus : Kammermusik am Kurfürstlichen Hofe zu München de *Johann de Groot, vers 1797 : une charmante évocation de la musique de chambre à la cour de l'Électeur de Munich.*

Ci-contre : Concerto nella Sala dei Filarmonica de *G. Bella représentant une salle de concert des années 1790.*

Ci-contre : *Aloysia Lange, fille aînée de Fridolin et Maria Weber. Bien qu'elle eût rejeté l'amour de Wolfgang, Aloysia et son mari nouèrent ensuite des relations amicales avec lui. Mozart finit par épouser sa sœur Constance.*

Fisher, Aloysia Lange – sa belle-sœur – et Constance, sa femme.

Bien qu'elle soit moins abondante que celle de Jean-Sébastien Bach ou de Joseph Haydn, la musique religieuse de Mozart – pour l'essentiel composée pendant les années salzbourgeoises – est loin d'être négligeable. Les *Vêpres* (K. 339) et la messe en ut majeur « du Couronnement » (K. 317) – une de ses dix-sept messes – sont de merveilleux exemples, avec de nombreux mouvements qui ravissent l'oreille et consolent l'âme. Tout dans la messe inachevée en ut mineur (K. 427) est d'une grande beauté. Certains musicologues l'ont complétée avec des extraits d'autres œuvres, mais il suffit d'ajouter peu de chose pour interpréter les mouvements originaux. Généralement, on ne donne plus, aujourd'hui, que ceux-ci. L'air pour soprano de l'*Et incarnatus est*, très difficile mais d'une beauté ineffable, a été composé pour Constance.

Mis à part les opéras, le *Requiem* en ré mineur (K. 626) est l'œuvre vocale qui est, aujourd'hui, la plus souvent donnée en concert et la plus souvent enregistrée. Pour cette œuvre, Mozart a éliminé la plupart des instruments à vent à la sonorité brillante, ne conservant que les bassons et les cors de basset. La coloration sombre de la partition est donnée par les trombones, les trompettes et les timbales. Il n'y a pas d'airs individuels pour les quatre voix solistes qui contrastent ou se marient avec le chœur. Mozart n'a exprimé l'affliction, la gloire et la piété avec une telle éloquence dans aucune autre de ses œuvres. Il a achevé sa courte vie en évoquant de manière poignante le mystère de la vie et de la mort, en mettant tout son art au service du Créateur et en se prosternant devant lui. Pour Haydn, cette seule œuvre aurait dû suffire à assurer l'immortalité à Mozart.

De nombreux chœurs renommés ont enregistré la musique religieuse de Mozart dont les *John Aldis Choir, King's College Choir, Cambridge Choir* et *Monteverdi Choir* ; parmi les formations plus nombreuses, le *Vienna Singverein*, le chœur de la radio bavaroise et le *London Philharmonic Choir*. Les solistes les plus connus sont Edith Mathis, Kiri te Kanawa, Helen Donath, Margaret Price, Peter Schreier, Robert Tear, Ryland Davies, John Shirley-Quirk et José van Dam.

LES OPÉRAS

Des six opéras de la maturité de Mozart, quatre figurent dans le répertoire ordinaire des salles du monde entier. Ce n'est que justice car Mozart a toujours été fasciné par la scène. Ces œuvres rassemblent en elles toute l'expérience des deux siècles précédents et ouvrent la voie à l'opéra moderne. Dans *Le Nozze di Figaro* (K. 492) comme dans *Don Giovanni* (K. 527), Mozart fait montre de génie pour la caractérisation musicale des personnages que peu de compositeurs ont jamais égalé. Le premier chef-d'œuvre est *Die Entführung aus dem Serail* (« l'Enlèvement au sérail » K. 384) que Mozart composa en 1781-1782 pour une nouvelle troupe allemande de *Singspiel*. Il avait une idée très claire de contenu musical et dramatique qu'il voulait obtenir et il a associé, dans cette œuvre, plusieurs styles.

Ainsi, le rôle du valet vient directement de l'opéra comique italien ; le grand air de concert de l'héroïne, « Martern aller Arten », de l'*opera seria* ; on entend la musique des janissaires dans la marche turque du finale ; Osmin, le serviteur du pacha, est un véritable personnage de pantomime et c'est le plus drôle de tous les rôles de basse comique.

Les Noces de Figaro sont la plus grande et la plus spirituelle des comédies de tout le répertoire lyrique et ses personnages sont étonnamment convaincants, notamment Suzanne l'effrontée et piquante femme de chambre ; Figaro, son rusé fiancé ; Chérubin, le page éperdu d'amour : le comte Almaviva, un séducteur qui vieillit ; la comtesse, délaissée et émouvante. Les intrigues à rebondissement menées sur un rythme trépidant s'achèvent en une réconciliation générale. Les airs les plus inoubliables sont la canzone de Chérubin « Voi, che sapete » ; la déclaration

Ci-contre :
Représentation de
Don Juan à
Glyndebourne en
1982. Don Juan
(à gauche) ordonne
à son valet,
Leporello, d'inviter
la statue du
Commandeur
à souper.

Ci-dessus : *Dans cette scène, Don Juan est précipité dans les enfers.*

d'amour de Suzanne « Deh, vieni non tardar » ; les airs « Porgi amor » et « Dove sono » de la comtesse, qui exprime dans le premier sa tristesse devant les manèges de galanterie du comte, dans le second son bonheur évanoui. Deux airs de Figaro sont aussi mémorables, « Se vuol ballare » et « Non piu andrai » ; le second, un chant vif et martial, a inspiré par la suite toutes sortes de contredanses et d'arrangements pour diverses combinaisons instrumentales.

Il est troublant qu'un second chef-d'œuvre, *Don Juan*, ait pu voir le jour si peu de temps après le premier. Le thème de l'opéra est aussi la séduction, mais il n'y a ici ni repentir ni réconciliation finale. L'œuvre s'achève tragiquement par la vengeance et le châtiment.

La puissance implacable de la fatalité est affirmée, avant même que le rideau ne s'élève, dans l'ouverture où le thème de l'audace impudente de don Juan sonne au trombone, avec une introduction lente et mélancolique évoquant la force surnaturelle du destin. Les passions sont exprimées de plusieurs manières : le simple duo galant « Là ci darem la mano », un des plus célèbres de Mozart ; la charmante sérénade avec accompagnement de mandoline, quand don Juan fait la cour à la jolie suivante d'Elvire ; l'air frivole dans lequel Leporello dresse l'inventaire des conquêtes de don Juan ; l'air terrible chanté par la statue du commandeur assassiné, qui vient s'emparer de don Juan pour le conduire en enfer. Au XIXᵉ siècle, l'opéra s'achevait ici, le sextuor final étant omis.

Malgré la beauté de ses mélodies, *Cosi fan tutte* (K. 588) n'a acquis une grande popularité que récemment, car on jugeait autrefois l'argument un peu stupide ou même immoral. Aujourd'hui, on voit dans cet opéra une étude complexe et bien construite des émotions humaines. Il n'existe rien de plus sentimental que le trio final du premier acte,

Ci-contre : Cosi fan tutte : *les deux fiancés, déguisés en seigneurs albanais, ont feint de s'empoisonner.*

91

quand les jeunes filles font leurs adieux à leurs fiancés, entrecoupés des remarques cyniques de don Alfonso.

L'argument de l'opéra-féerie *Die Zauberflöte* (« La Flûte enchantée », K. 620), le dernier opéra de Mozart évoque la lutte entre le Bien et le Mal. À l'époque, tout le monde n'apprécia pas l'association de symbolisme maçonnique et d'idées moralisatrices avec une comédie naïve. Heureusement, les Viennois, qui adoraient les contes de fées, furent séduits par l'oiseleur Papageno et les clochet-

tes magiques du Glockenspiel, ainsi que par l'amour contrarié de Tamino pour Pamina. En tout état de cause, la beauté de la musique était indiscutable et *La Flûte enchantée* connut un succès immense qui compta pour beaucoup dans la réussite d'Emmanuel Schikaneder. L'ironie du sort, voulut que Mozart mourût deux mois plus tard, couvert de dettes.

Les chanteurs, chefs et orchestres les plus prestigieux ont enregistré les opéras de Mozart. Un choix parmi les nombreuses versions

disponibles serait hasardeux.

Deux des salles les moins vastes et les plus intimes où ces œuvres sont régulièrement données sont celles du Festspielhaus de Salzbourg et de Glyndebourne, en Grande-Bretagne. La seconde a été édifiée dans les années trente pour permettre la représentation d'opéras dans les meilleures conditions possibles. *Les Noces de Figaro* et *Cosi fan tutte* y furent représentées en 1934 – Carl Ebert assurant la mise en scène, Fritz Busch la direction d'orchestre – et les autres opéras de Mozart les années suivantes. Les interprétations du festival de Glyndebourne – heureusement enregistrées – furent vite considérées comme versions de référence. Fermée pendant la guerre, la salle fut rouverte au début des années cinquante. Après la mort de Busch, Ebert le remplaça par Vittorio Gui.

Le dernier chef ayant enregistré à Glyndebourne est Bernard Haitink. Sa version a été saluée par la critique unanime.

Ci-contre : Une scène de La Flûte enchantée, *représentée à Glyndebourne en 1978 dans des décors de David Hockney.*

INDEX

REMERCIEMENTS

L'illustration des pages 22-23 a pu être reproduite grâce à l'aimable permission de S.M. la Reine Elisabeth II.

Archiv für Kunst und Geschichte 7, 16-17, 23, 27 bas, 34-35, 36-37, 48-49, 54, 67, 87 haut ; Austrian National Tourist Office 11 haut ; Clive Barda 75 gauche, 83, 84 ; Bavaria Bildagentur, Jacques Alexandre 43 bas ; Peter Irish 24-25 ; Messerschmidt 63 haut ; Bridgeman Art Library 22 ; British Library 52 ; Deutsches Theatermuseum 37 gauche, 37 droite ; Dominic Photography, Zoë Dominic 51, 63 bas ; E T Archive 59 ; Mary Evans Picture Library 6, 12, 30 bas droite, 38-39, 46 haut, 61, 69, 70, 71, 78 bas ; Gesellschaft der Musikfreunde in Wien 60, 62 ; Guy Gravett 42, 47, 70-71, 72-73, 78 haut, 88-89, 90, 90-91, 92-93 ; Robert Harding Picture Library 58 haut, 66, 79 bas ; Hulton-Deutsch Collection 32-33, 48, 80 haut, 80 bas ; Hunterian Art Gallery, University of Glasgow 50 ; Internationale Stiftung Mozarteum 10, 11 bas, 18, 19, 34, 40-41, 43 haut, 68, 81 bas, 88 ; Kunsthistorisches Museum, Vienna 46 bas, 74 ; Larousse 56, 81 haut ; Mansell Collection 14-15, 45, 64 ; Österreichisches Nationalbibliothek 8-9, 44, 55, 57, 65, 76-77, 77 haut ; Peters Edition Limited 77 bas ; Polygram Classics 85 ; Residenz Galerie 31 ; Royal College of Music 36 ; Salzburger Museum Carolino Augusteum 9 ; Scala 26, 27 haut, 28-29, 30 bas gauche, 75 droite, 79 haut, 82, 87 bas ; ZEFA 13, 58 bas ; ZEFA, Halin 30 haut ; Studio Benser 20-21 ; Stuller 53.